Für Heinz Winfried Sabais,

der gesagt hat:

„Die Humorlosigkeit ist so lächerlich

wie unsterblich"

Fritz Ebner

Darmstadt
rundum liebenswert

mit Fotos von
Brigitte Colin, Pit Ludwig
und Ernst Selinger

Eduard Roether Verlag Darmstadt

Inhalt

*Darmstadt ist anregend und
kann sogar aufregend sein.
Es ist eine Stadt mit Weitblick,
aber nicht nur deshalb,
weil sie in einer
flachen Landschaft liegt.*

Darmstadt – einst Residenz

Darmstadt – einst Residenz hessischer Landgrafen und Großherzöge, heute noch immer die kulturelle Hauptstadt des Hessenlandes – liegt im „mittleren Westen" der Bundesrepublik Deutschland.

Blicken wir auf die Landkarte, so finden wir Darmstadt ungefähr in der Mitte zwischen Bonn und Basel oder, genauer gesagt, zwischen dem realistischen Frankfurt und dem romantischen Heidelberg.

Aus der geographischen Lage ergibt sich auch das geistige Klima dieser Stadt: es ist hell und human, hier herrscht ein aufgeklärter Individualismus, und obwohl man nicht umhin kann, Darmstadt eine Großstadt zu nennen, ist eine gewisse provinzielle Beschaulichkeit unverkennbar. Gerade darauf aber hält man sich hier sehr viel zugute.

Im Gegensatz zur großen Politik mit ihren Ost-West-Beziehungen ist Darmstadt spätestens seit dem Bau der Eisenbahn um die Mitte des vorigen Jahrhunderts, die Neckar und Main mit der Weser verbindet, in starken Nord-Süd-Verkehr einbezogen. Das war früher anders. Da hätte man gesagt, Darmstadt liegt zwischen Würzburg und Mainz – aber das ist lange her . . .

Damals hatten die Grafen von Katzenelnbogen, denen die Burg Rheinfels bei St. Goar gehörte, und die durch Rheinzölle zu erheblichem Reichtum gelangt waren, das Gebiet um Darmstadt vom Bischof von Würzburg zum Lehen genommen und eine Wasserburg errichtet.

„Dem Bogener, dem bin ich hold" sang einst der arme Walther von der Vogelweide, nachdem sich ihm die Grafen von Katzenelnbogen wohl als Mäzene erkenntlich gezeigt hatten.

Der Name Katzenelnbogen ist übrigens fast genauso schwer zu erklären

Blick auf das Monument
View of the Monument
Vue sur le Monument
Vista del monumento

7

wie der Name Darmstadt. Berufene und weniger Berufene haben es versucht, ohne wirklich überzeugende Resultate. Aber vielleicht ist die Lösung so einfach, daß man allein schon deshalb bis heute nicht darauf kam. Doch wollen wir hier künftiger Forschung, falls sie sich einmal dem nützlichen Treiben der einstigen Waidmänner und auch der Gerberzunft zuwenden sollte, nicht vorgreifen!

Historisch unanfechtbar ist, daß die Grafen von Katzenelnbogen am 23. Juli 1330 in Hagenau im Elsaß von Kaiser Ludwig dem Bayern für ihr Darmstadt das Stadtrecht erhielten, und ebenso unbestreitbar ist, daß die reiche Erbtochter Anna von Katzenelnbogen im Jahr 1457 Landgraf Heinrich III. von Hessen heiratete. Seitdem ist Darmstadt hessisch. Sagt einer heutzutage „Ich bin Hesse!", dann hat er damit noch nicht allzu viel über sich mitgeteilt, denn das Hessenland ist – historisch betrachtet – ein bunt zusammengestückelter Flickenteppich, der von Weilburg bis Fulda und von der Weser bis zum Neckar reicht.

Entsprechend unterschiedlich ist auch die Mentalität der Hessen. Hierbei spielen historisch-politische Ereignisse eine bestimmende Rolle, denn quer durchs Hessenland verläuft die seit den Tagen der Römer in Germanien wichtigste innerdeutsche Grenze: der Main. Dadurch gibt es nicht nur Norddeutsche und Süddeutsche, sondern auch Nordhessen und Südhessen.

In der langen Zeit, in der Darmstadt sich von einer Wasserburg zur Groß-stadt entwickelte, ist es von spektakulären historischen Ereignissen weithin verschont geblieben. Sickingen hat die Stadt einmal beschossen, im Dreißigjährigen Krieg gab es Not und Tod, auch plünderten Truppen des Sonnenkönigs eine Reihe von Häusern und versuchten Teile der Stadtmauer niederzureißen. Doch erst die große Französische Revolution erschütterte die Gemüter der Bürger wie die Druckwelle einer fernen Ex-plosion. Aber bald danach ging unter dem von Napoleon zum Großherzog ernannten Landgrafen alles wieder seinen gewohnten Gang wie zuvor, als Landgraf Ludwig IX. noch in Pirmasens seine „langen Kerls" exerzieren ließ, während seine Gemahlin Caroline mit Voltaire korrespondierte und in Darmstadt einen Kreis empfindsamer Geister um sich scharte, zu denen neben Johann Heinrich Merck auch Herder und Goethe gehörten, ehe beide endgültig nach Weimar gingen. Dadurch fand die deutsche Klassik an der Ilm statt, und in Darmstadt ging man von der Vorklassik gleich zum Biedermeier über.

Damals hat das bis dahin barocke Darmstadt unter dem Baumeister Georg Moller wenigstens äußerlich klassizistische Formen angenommen, die das Stadtbild noch immer prägen, und man hielt sich weiterhin durch die schnurgerade breite Rheinstraße nach Westen offen. Auf dieser Straße bewegt sich auch heute noch jeder, ob er vom Bahnhof oder von der Autobahn her nach Darmstadt kommt, auf das Zentrum zu. Es wird von einer hohen Säule inmitten eines weiten Platzes gebildet, die einen ebenso freundlichen wie nachsichtigen Landesvater – im wahrsten Sinne des Wortes – in den Himmel hebt.

Luisenplatz
Luisenplatz
La Luisenplatz
Luisenplatz

Untere Rheinstraße
Lower Rheinstraße
Perspective de la Rheinstraße
Parte inferior de la Rheinstraße

Obere Rheinstraße
Upper Rheinstraße
La Rheinstraße au centre-ville
Parte superior de la Rheinstraße

Am Hauptbahnhof
At the main station
La gare principale
La estación central de ferrocarriles

13

Luisenplatz mit Regierungspräsidium
Luisenplatz with the seat of District Administration
La Luisenplatz et le siège de l'Administration régionale
Luisenplatz con el edificio de la Administración regional

Das Zentrum Darmstadts

Das Zentrum Darmstadts ist der Luisenplatz, genannt nach der Großherzogin Luise, jener bescheidenen Frau, die in bewegten Zeiten – nämlich um 1800 – mehr als fünfzig Jahre an der Seite ihres Gemahls ausharrte, wie es sich für eine treue Landesmutter geziemt. Hätte man nicht diesen Platz nach ihr benannt, sie wäre noch mehr vergessen, als sie es trotz dieser Ehrung ist.

Modernität und Tradition vereinen sich hier. Wenn auch der große Verkehr auf Fernstraßen an Darmstadt vorbei oder auf Ringstraßen um die Stadt herumgeleitet wird, ist dieser Platz noch immer die Drehscheibe, die er seit jeher war. Von allen vier Himmelsrichtungen führen die Wege zu ihm hin: von Süden her über die Bergstraße, von Frankfurt im Norden, vom Rhein im Westen und vom fernen Spessart im Osten. Auf allen diesen Straßen kamen Menschen hierher, manche von ihnen gingen wieder, nicht wenige aber blieben.

Geht man vom Luisenplatz über die obere Rheinstraße auf das Schloß zu, bekommt man eine Ahnung von dem, was man in Darmstadt unter Landgraf Ernst Ludwig um 1700 einmal sein wollte. Eine lebhafte Baukonjunktur vermehrte damals die Verdienstmöglichkeiten, was zur Folge hatte, daß die Einwohnerzahl kräftig anstieg.

Zwischen der prunkvollen Südfassade des barock umgebauten Schlosses und dem sehr viel bescheideneren, weil älteren Rathaus befindet sich der Marktplatz und dahinter die Stadtkirche. Der Marktplatz mit dem Brunnen, das alte Rathaus und die Stadtkirche vertreten heute gewissermaßen die ehemalige Altstadt, die es seit dem Zweiten Weltkrieg nicht mehr gibt. Bis dahin war sie die gemütvolle Seelenheimat aller echten Darmstädter, und sie ist bei ihnen noch immer unvergessen. Man steht hier auf dem Grund eines um seine Selbständigkeit bemühten Gemeinwesens. Auch insofern war es zeitweise ein ziemlich unbequemes Pflaster, und selbst das biedere Handwerk hatte hier nicht immer den goldenen Boden, den ihm das Sprichwort nachsagt. Das wurde auch nicht anders, als bei der Teilung Hessens durch Philipp den Großmütigen im Jahre 1567 sein Sohn Georg I. Darmstadt zu seiner Residenz machte. Doch jetzt kam immerhin so etwas wie höfisches Leben auf: es gab Bootsfahrten auf dem Woog, Jagden und ländliche Feste. Auf dem „Spielhaus" vergnügte sich eine fröhliche Bürgerschaft, und selbst für die Ärmsten der Armen war gesorgt, wenn man den Berichten glauben will. Neben der Jagd spielte aber nun bald auch das Militär eine immer größere Rolle. Die erste Infanteriekaserne für 200 Mann entstand um 1750. Doch die Musen drängten sich in Darmstadt immer wieder vor:

„Der Mond ist aufgegangen,
die goldnen Sternlein prangen
am Himmel hell und klar;
der Wald steht schwarz und schweiget,
und aus den Wiesen steiget
der weiße Nebel wunderbar."

Schloßmuseum mit Glockenturm
Castle Museum with the Bell Tower
Musée du château ducal avec clocheton
Museo del palacio con campanario

16

Marktplatz mit altem Rathaus und Stadtkirche
Market Place with the old Town Hall and the Town Church
Vue sur la Place du marché, l'ancien Hôtel de ville et l'Eglise de la Cité
Plaza del Mercado con el Antiguo Ayuntamiento y la Iglesia de la Ciudad

17

Mit diesen Versen von Matthias Claudius sind – einem Ondit zufolge – die Lichtwiesen von Darmstadt in die Literatur eingegangen. Heute befinden sich dort die Neubauten der Technischen Hochschule. Claudius war damals – 1777 – ein Jahr lang hier als Redakteur tätig gewesen. Vier Jahre zuvor hatte Merck gemeinsam mit seinem Freund Goethe dessen Schauspiel „Götz von Berlichingen" zum Druck gegeben, jenes deutsche Ritterstück, das den Damen im Reifrock und Herren mit Zopf wie eine Blechtrommel in den Ohren klingen mußte.

Aus dem Musensohn Goethe wurde bald darauf ein Minister, und Merck führte im Dienste seines Landgrafen getreulich Buch über Gewehre und Uniformen. „Uns gaben die Götter auf Erden Elysium" hatte Goethe einst gedichtet und geendet mit dem Seufzer: „Ach, warum nur Elysium?" – Ja, warum? Diese Frage hatte sich Georg Büchner, der begabteste, aber auch radikalste Darmstädter, den es je gab, wohl auch schon gestellt, ehe er von Gießen aus an die Eltern schrieb: „Ich bete jeden Abend zum Hanf und zu den Laternen."

Sein Kommilitone Niebergall ignorierte solches Revoluzzertum und schrieb statt dessen in der Mundart der Darmstädter die unsterbliche Lokalposse „Der Datterich", die heute noch vor stets ausverkauftem Haus gespielt wird. Aber er schrieb zugleich auch abscheuliche Schauergeschichten, für Geld natürlich und für jene Blättchen, die in jener Leihbücherei zu haben waren, die sich im Gasthof „Zur Bockshaut" befand und aus der Georg Gottfried Gervinus, der Sohn des Wirts, jahrelang seine Lektüre bezog.

Gervinus war übrigens nicht nur ein derart gefräßiger Leser, daß er später die erste deutsche Literaturgeschichte schreiben konnte, er hatte sich einst auch Hals über Kopf in eine junge Schauspielerin am großherzoglichen Hoftheater verliebt, so daß er unbedingt selber Schauspieler werden wollte. Der „Korb", den ihm die junge Künstlerin daraufhin im Auftrag ihrer Eltern gar höflich übermittelte, machte ihm dann erst eigentlich den Weg in die Politik frei. Er wurde Historiker und 1848 Abgeordneter des Frankfurter Paulskirchen-Parlaments. Er polemisierte später heftig gegen Bismarck und behielt sogar recht mit allen seinen Prognosen, auf die aber schon damals niemand hören wollte.

Und noch ein anderer war hier beheimatet: Justus Liebig, der große Sohn der Ochsengasse. Er beobachtete auf dem Marktplatz einen herumziehenden Händler, wie er Knallsilber zu Knallerbsen machte, und beschloß Chemiker zu werden, war dann als Student mit dem Dichter Platen befreundet und nahm in Erlangen an einer Protestdemonstration teil, was ihm einigen Ärger einbrachte. Nach einem Studienaufenthalt in Paris wurde er in noch ganz jungen Jahren Professor für Chemie in Gießen, entdeckte den nach ihm benannten Fleischextrakt, aber auch die mineralische Düngung und leistete so einen ganz persönlichen Beitrag zu den drängenden Fragen seiner Zeit.

Unruhige Neuerer jeglicher Art gab es hier schon immer . . .

Der Weiße Turm
The "White Tower"
La Tour Blanche
La Torre Blanca

19

Schloß, vom Marktplatz gesehen
Castle as seen from the Market Place
Le Château ducal vu de la Place du marché
El Palacio visto desde la Plaza del Mercado

20

Kirchstraße
Kirchstraße (Church Street)
La «Kirchstraße» (rue de l'église)
Kirchstraße (calle de la iglesia)

Eingang zum Schloßgarten
Entrance to the Castle Garden
L'Entrée du parc du Château
Entrada a los jardines del Palacio

22

Altes Theater
Old theatre building
L'ancien théâtre
Antiguo Teatro

23

Prinz-Georg-Palais
Prince George's Palace
Palais du prince Georges
Palacio del príncipe Georg

Herrngarten mit Hessischem Landesmuseum
"The Herrngarten" park with the Museum of the Land of Hesse
Le parc «Herrngarten» et le Musée National de la Hesse
El parque «Herrngarten» con el Museo del Estado de Hessen

24

Alt-Bessungen
The old part of the town quarter of Bessungen
Le vieux Bessungen
La parte antigua del barrio de Bessungen

26

Ludwigskirche
Ludwig Church
L'Eglise Ludwig
Iglesia Ludwig

Die Orangerie
The Orangery
L'Orangerie
El naranjal

Flohmarkt vor dem Landesmuseum
Flea market in front of the Museum
Le marché aux puces devant le Musée National de la Hesse
Mercado de objetos usados delante del Museo del Estado de Hessen

Luisencenter – Neues Rathaus
"Luisencenter", with the new Town Hall
Le «Luisencenter» qui abrite le nouvel Hôtel de ville
Luisencenter – Nuevo Ayuntamiento

„Es lebt sich leicht in ihm . . .”

„Es lebt sich leicht in ihm.
Man weiß: der liberale Mond
Ist hier noch Mond, die Nacht
Noch Nacht, mit Scherzen und Geflüster . . .”

Diese Zeilen stammen nicht etwa von Shakespeare, sie sind von dem
Lyriker Karl Krolow.
„Wer wie ich” – sagt er – „nicht in Darmstadt geboren ist, aber in dieser
Stadt seit Jahren lebt, ist hier in einer besonders glücklichen Lage . . .
Dieses Gemeinwesen, dessen Bürger ich geworden war – so einzigartig
zwischen dem deutschen Norden und Süden gelegen –, hatte gleichwohl eher
etwas Unauffälliges als Attraktives . . .”
Das rührt an einen Charakterzug der Darmstädter, den ein wenig genauer
unter die Lupe zu nehmen sich wohl lohnt: Der echte Darmstädter ist stets
das Gegenteil eines Helden. Wer hier als Held bezeichnet wird, darf gewiß
sein, daß er sich gerade keinen Ruhm verdient hat. Pathos kommt nur auf
der Bühne vor und auch da nur ausnahmsweise. Zwischen dem
Darmstädter und seiner Umwelt besteht eine unverkennbar dialektische
Beziehung.
Die Sprache ist nicht melodisch, und so wird hier nicht mit Worten
musiziert, sondern meistens räsoniert. In weise überlegenem Relativismus
sieht der Darmstädter in den alltäglichen Unzulänglichkeiten nur das
verkleinerte Abbild einer nicht ganz vollendeten Schöpfung und begegnet
daher auch menschlichem Unvollkommensein mit gelassener Duldsamkeit.
Die wahre Waffe des Darmstädters ist nicht die Faust (und erst recht nicht

das Gewehr), sondern sein Witz, der sich durch präzise Knappheit und subtilen Sarkasmus auszeichnet. Doch mit ironischer Spitzfindigkeit signalisiert er immer zugleich auch Verständnisbereitschaft, Gutmütigkeit, Herzlichkeit. Nichts liegt dem Darmstädter ferner als imperialische Gesten. Nicht in der parlamentarischen Öffentlichkeit, nicht auf der Rostra des Volksredners hat er folglich seine wahrhaft produktiven Momente, sondern am Stammtisch. Hier wird seine Phantasie seltsam beflügelt, hier schwingt er sich von der Ebene der leisen Melancholie des Skeptikers auf bis in jene Höhen, wo Rebellion und Resignation unmerklich ineinander übergehen.

Der Mensch und seine Stadt passen sich gegenseitig an. Aber auch in das Gesicht einer Stadt zeichnet das Schicksal schließlich seine Linien. Und so hat auch Darmstadt sein Gesicht mit der Zeit gewandelt, doch noch nie so gründlich wie seit dem Zweiten Weltkrieg. Über drei Millionen Kubikmeter Schutt mußten beseitigt werden. „Männer der ersten Stunde", wie man die Unverzagten später respektvoll nannte, die frühzeitig politische Verantwortung übernahmen, trafen Entscheidungen für die Zukunft. Und da sie praktisch bei Null anfingen, aber neue Industrien überall neue Standorte suchten, konnten sie auswählen. Also wählten sie in schlechten Tagen, was sie sich für gute Tage wünschten: Druckereien, Buchbindereien, Verlage und was es damals sonst noch an „rauchloser Industrie" gab.

Alles mit Maß und Ziel, und was entstand, sollte schön und nützlich sein. So fand auch eine aus Thüringen kommende Kosmetikfirma in Darmstadt einen neuen Standort. Daneben gab es weiterhin ein weltbekanntes und alteingesessenes Pharma- und Chemiewerk ebenso wie Firmen des Maschinen- und Motorenbaues. Und auch die Wetterkarte, die allabendlich millionenfach über die Fernsehschirme flimmert, kommt aus Darmstadt, wo man sogar den Weltraum mit seinen Satelliten sorgfältig beobachtet.

Als Wiederaufbau begann es, als Wirtschaftswunder florierte es weiter. Doch nicht ganz so erfolgreich wie die Schaffung neuer Arbeitsplätze verlief die Neugestaltung der zerstörten Stadt. Aus dem Gefühl heraus, vor einem neuen Anfang zu stehen, hat man sich von manchem Alten allzu schnell getrennt – leider für immer. Anderes blieb jahrzehntelang Ruine. Auf dem Luisenplatz suchte man dann – spät – unter den Augen einer inzwischen wachsam gewordenen Bürgerschaft durch zierliche Pflasterung etwas von dem Eindruck des Kolossalen zurückzunehmen, das von dem neuen Luisencenter ausgeht und mit der Mentalität der alten Darmstädter nicht so recht harmonieren will, wenngleich die meisten sich mittlerweile wohl daran gewöhnt haben. Die Zeit bleibt eben nicht stehen, und der Weg unseres modernen Gemeinwesens reicht von Moller bis Mengler: „Honi soit qui mal y pense" (Ein Schuft, wer Schlechtes dabei denkt!)

Doch über der Stadt wölbt sich an hellen Tagen ein lauer, blauer Himmel, der heiter stimmt und auch manchem modernen Bauwerk etwas vom Glanz der Schönheit verleiht.

32

Ernst-Ludwig-Straße
Ernst-Ludwig-Straße
La Ernst-Ludwig-Straße
Ernst-Ludwig-Straße

33

Luisenplatz mit Blick zum Schloß
Luisenplatz looking towards the Castle
La «Luisenplatz» avec vue sur le château
La Luisenplatz con vista del Palacio

34

Rund um die Stadtkirche
Around the Town Church
Alentours de l'Eglise de la Cité (vue aérienne)
Alrededor de la Iglesia de la Ciudad

Alte Häuser – wieder schön
Old houses – beautiful once again
Maisons anciennes restaurées
Casa antiguas – renovadas

36

Das Pädagog
Old Grammar School ("Paedagog")
Le «Pédagog»
El Pedagogo

37

Martinsviertel – Schloßgartenplatz
Schloßgartenplatz in Martin's Quarter
La place «Schloßgarten» dans le quartier Saint-Martin
La «Schloßgartenplatz» en el barrio «Martinsviertel»

Technische Hochschule an der Lichtwiese
Technical University, Lichtwiese
Institut polytechnique à la «Lichtwiese»
Escuela Técnica Superior en la Lichtwiese

Der Schwan als Bote

Der Schwan als Bote des Grals ist in Darmstadt bei jeder Lohengrin-Auf-
führung stets langsam und lautlos dahingeglitten, denn die Bühnentech-
nik war perfekt. Auch viele andere Opern Richard Wagners sind seit der
Mitte des vorigen Jahrhunderts hier aufgeführt worden. Mühe und Kosten
wurden dabei in Darmstadt ebenso wie in München nicht gescheut.
Schon 1833 hatte Großherzog Ludwig III. in München die katholische Prinzessin Mathilde geheiratet, die Tochter Ludwigs I. von Bayern und Tante
jenes „Märchen"-Königs, der die Schlösser Hohenschwangau, Neuschwanstein, Linderhof und Herrenchiemsee bauen ließ und damit in einer Zeit
fortschreitender Industrialisierung ein neuromantisches Beispiel gab, das
weiterwirkte bis in die Verse Stefan Georges, der zwar aus Bingen
stammte, in Darmstadt aber das Gymnasium besuchte, wo er auch seine
ersten Freunde fand.
Und nochmals knüpfte eine Fürstenhochzeit geistig-kulturelle Fäden:
1862 heiratet Großherzog Ludwig IV. in Osborne Prinzessin Alice von
Großbritannien und Irland, Tochter der Königin Viktoria, die – wie einst
Maria Theresia – einem ganzen Zeitalter ihren Namen gab.
Dort in England hatte sich nicht nur der Rabbinerenkel Karl Marx sehr
fortwirkenden Gedanken über Kapital und Arbeit hingegeben, dort hatte
um die Jahrhundertmitte auch eine junge Künstlergeneration die
Unechtheit industriell erzeugter Massengüter deutlicher empfunden. Ihre
Erkenntnisse blieben nicht auf London und Glasgow allein beschränkt, sie
griffen über auf Brüssel, Paris, Nancy, München, Wien, Petersburg – und
Darmstadt.

Wandbrunnen von Ludwig Habich auf der Mathildenhöhe
Fountain by Ludwig Habich, Mathildenhöhe
Fontaine de Ludwig Habich, sur la Mathildenhöhe
Fuente mural de Ludwig Habich en la Mathildenhöhe

In Deutschland wurde die neue Bewegung getragen von einer Generation, die in der Gründerzeit aufgewachsen war, aber an dem streberhaften Parvenügeist jener Epoche wenig Gefallen fand. Die jungen Künstler wollten nicht nur eine neue Kunst, sie wollten auch ein neues Leben: Jugend, Frühling, Landschaft, Nacktheit, Tanz – alles in sanftem Taumel, stiller Besessenheit. „Jugendstil" nannte man dann dieses neue Lebensgefühl.

In Darmstadt, wo inzwischen der künstlerisch vielfach begabte und europäisch-englisch erzogene Großherzog Ernst Ludwig zur Regierung gekommen war, strebte man gleichfalls nicht nur nach gesteigerter Qualität in der Kunst, man versprach sich auch – ganz realistisch – fördernde Impulse für Handwerk, Handel und Industrie. Und so nahte ziemlich unvermutet Darmstadts Sternstunde, vielleicht herbeigelockt durch eine Ausstellung in der damaligen Kunsthalle, an der sich bereits der Maler Hans Christiansen und der Bildhauer Ludwig Habich beteiligten. Kurz danach jedenfalls berief Ernst Ludwig fünf weitere Künstler nach Darmstadt, darunter vor allem den Wiener Architekten Joseph Maria Olbrich. Der älteste von ihnen war zweiunddreißig, der jüngste gerade zwanzig Jahre alt!

Aber noch fehlte es an Wohnungen und Ateliers. So reifte die Idee, eine Künstlerkolonie zu gründen und die Ateliers sowie die Künstlerhäuser selbst zu Objekten einer Ausstellung zu machen. Was dann 1901 auf der Mathildenhöhe entstand, war eine internationale Sensation. Niemals zuvor hatten so viele Fremde Darmstadt besucht, denn hier war nun plötzlich etwas Wirklichkeit geworden, wovon man andernorts erst träumte: die Einheit von Kunst und Leben, Mensch und Natur, Spiel und Ernst. Der Gestaltungswille, in dem Kunst und Kunstgewerbe sich miteinander vereinten, erstreckte sich von Geschirr und Besteck, Bild und Buch, Tisch und Stuhl bis auf Haus und Garten. Nützlich und schön sollte alles sein! Man sprach von Lebensreform, von neuer Tugend, neuem Körperverständnis, neuer Wohnkultur. Mann und Frau sollten sich fühlen wie einst Adam und Eva. Es gab viel Tanz und weihevolle Gebärden, aber zugleich auch rauschhafte Atelierfeste – in Darmstadt wie in Schwabing.

Zuerst sah man in der neuen Kunst die Morgenröte eines neuen Anfangs, dann empfand man sie als Wende, bis man sie schließlich als die Abendröte eines schönen Untergangs erkannte. Die Zukunft gehörte nicht der Schönheit, sie gehörte endgültig den Massen und Maschinen. Neben den von Wachsen und Sprießen umgebenen Jugendstil-Gestalten, die immer auch ein wenig an Lohengrin und Elsa erinnern, sah man jetzt in den vielen Schwänen, die auf stillem Wasser über unheimliche Tiefen glitten, eher feierliche Todesboten.

1976 – also 75 Jahre später – zeigte man hier eine Ausstellung, die alles noch einmal zusammenholte, was greifbar war. Mehr als 500000 Menschen aus dem In- und Ausland haben die Ausstellung besucht und damit bewiesen, daß die Faszinationskraft dieser schönen Utopie eine neue Jugend erneut zu bezaubern vermag.

Schwanentempel von Albinmüller
Swan Temple by Albinmüller
Temple aux cygnes d'Albinmüller
Templo de los Cisnes de Albinmüller

43

,,Der Kuß", Deckenmosaik im Hochzeitsturm
"The Kiss", the ceiling mosaic in the Wedding Tower
«Le baiser», mosaïque de la Tour des mariages
«El Beso», mosaico mural en la Torre de las Bodas

Ausstellungsgebäude und Hochzeitsturm auf der Mathildenhöhe
Exhibition Building and Wedding Tower on the Mathildenhöhe
Le palais des expositions et la Tour des mariages sur la Mathildenhöhe
Edificio de exposiciones y Torre de las Bodas en la Mathildenhöhe

,,Mutter und Kind" von Bernhard Hoetger im Platanenhain
"Mother and Child" by Bernhard Hoetger in the Plane Tree Grove
«La mère et l'enfant» de Bernhard Hoetger sous une voûte de platanes
«Madre y niño» de Bernhard Hoetger en el Paseo de Plátanos

46

Glückert-Haus, Sitz der Deutschen Akademie für Sprache und Dichtung
Glückert House, seat of the German Academy for Language and Literature
La maison Glückert, siège de l'Académie allemande de poésie et de linguistique
La Casa Glückert, sede de la Academia Alemana de Lengua y Poesía

Peter-Behrens-Haus
Peter Behrens House
La maison Peter Behrens
La Casa Peter Behrens

Die Russische Kapelle
The Russian Chapel
La Chapelle russe
La Capilla Rusa

49

Jünglingsfigur von Ludwig Habich
Statue of a young man by Ludwig Habich
Adolescent, sculpture de Ludwig Habich
Figura de joven, de Ludwig Habich

50

,,Die Auferstehung'', Relief von Bernhard Hoetger
"The Resurrection", relief by Bernhard Hoetger
«La résurrection», relief de Bernhard Hoetger
«La Resurrección», relieve de Bernhard Hoetger

51

Das Löwentor vor der Rosenhöhe
The Lion Gate, entrance to the Rosenhöhe
La Porte aux lions, entrée de la Rosenhöhe
La Puerta de los Leones delante de la Rosenhöhe

Ernst-Ludwig-Haus
Ernst Ludwig House
La maison du Grand-Duc Ernest-Louis
La Casa Ernst Ludwig

53

Ausstellungseröffnung im Hessischen Landesmuseum
Opening of an exhibition in the Museum of the Land of Hesse
Vernissage au Musée National de la Hesse
Inauguración de exposición en el Museo del Estado de Hessen

54

In Darmstadt leben die Künste!

,,In Darmstadt leben die Künste!'' kann man hier überall, ja sogar auf dem Poststempel lesen. Kein Wunder, daß sich viele Künstler in dieser Stadt wohler fühlen als sonstwo. Wie könnte es aber auch da anders sein, wo ein Lyriker und Essayist von höchstem Rang jahrelang als Oberbürgermeister und unter Verzicht auf ein eigenes abgerundetes literarisches Werk mit Geist und Tat dafür gesorgt hat, daß andere hier die richtige Atmosphäre zum Schaffen finden. Es ist Heinz Winfried Sabais! Er war ein Schlesier, aber er wurde ein Darmstädter. Mit den von ihm einst arrangierten ,,Darmstädter Gesprächen'', die nach den Zerstörungen des Zweiten Weltkrieges auch noch den Schutt aus den Köpfen räumen sollten, nachdem er auf den Straßen bereits beseitigt war, setzte er auf seine Weise fort, was Ernst Ludwig gemeinsam mit Hermann Keyserling und seiner ,,Schule der Weisheit'' nach dem Ersten Weltkrieg schon einmal versucht hatten: neues Leben aus neuem Geist!

Leider waren es fast immer Kriege, und zwar verlorene, die zu solcher Art von Besinnung führten. Man konnte dann an Neuem gar nicht genug bekommen, und nicht nur auf der Bühne. Deshalb hat man 1946 erstmals ,,Internationale Ferienkurse für Neue Musik'' veranstaltet, in deren Verlauf junge Musiker und Komponisten aller Erdteile mit Tönen und Rhythmen ungehindert experimentieren und damit nicht nur die Fachwelt aufhorchen lassen.

Natürlich wollten auch die Dichter in derart bedürftiger Zeit nicht untätig bleiben. So kam es zur Gründung der Deutschen Akademie für Sprache und Dichtung, die seit 1951 ihren Sitz in Darmstadt hat. ,,Die Akademie'' – so ihr Präsident Peter de Mendelssohn – ,,will das Abgelebte, auch das Verdorbene aussondern, das bewährte Ererbte lebendig fortführen, das Neue und Verheißungsvolle auszeichnen.'' In ihr vereinigen sich Lyriker, Erzähler, Dramatiker, Essayisten, Publizisten, Historiker, Sprach- und Literaturforscher, die im Frühjahr regelmäßig fern von Darmstadt zusammenkommen, um damit zu dokumentieren, daß die Akademie nicht nur eine darmstädtische, sondern eine deutsche Institution ist. ,,Literarischer Herrenclub'' sagen neidisch die einen, ,,Dichterinnung'' respektlos die anderen. Doch bei den alljährlichen Herbsttagungen in Darmstadt, wenn außer dem Georg-Büchner-Preis auch der Sigmund-Freud-Preis für wissenschaftliche Prosa und der Johann-Heinrich-Merck-Preis für literarische Kritik verliehen werden, gibt es stets ein volles Haus.

Immer lebt man hier in dieser Stadt an jener Grenze, an der sich, was gestern war, mit dem berührt, was morgen sein sollte. Hier scheut man sich auch nicht, bei großen Ausstellungen die Türen zu öffnen für Neues, selbst wenn es zuerst fremd erscheint. Im Treppenpavillon zum großen Ausstellungsgebäude auf der Mathildenhöhe findet jeder den kulturpolitischen Imperativ dieser Stadt: ,,Habe Ehrfurcht vor dem Alten und Mut, das Neue frisch zu wagen; sei treu der eigenen Natur und treu den Menschen, die du liebst.''

Auch das Darmstädter Musikleben weist höchst klangvolle Namen auf: Beethoven, Paganini, Carl Maria von Weber, Henriette Sontag, Friedrich Flotow, Jenny Lind, Franz Liszt bis hin zu Karl Böhm, Benjamin Britten und Hans-Ulrich Engelmann.

Von den Darmstädter Malern waren keineswegs alle so begabt wie Karl Philipp Fohr, der 1818 – dreiundzwanzigjährig – im Tiber bei Rom ertrank, oder – später – Eugen Bracht, der so modern sein konnte.

Auch Bildhauer fanden lohnende Aufträge: Johann Baptist Scholl schuf in neugotischer Manier nicht nur Grabmale, sondern auch die Symbolfigur dieses städtischen Gemeinwesens: die Darmstadtia. Besser wurde es dann erst wieder durch den Jugendstil mit Habich und Hoetger.

Darmstadt ist indessen besonders reich an Männern und Frauen der Literatur. Man braucht sich daher nicht zu wundern, wenn man einige von ihnen – freiwillig oder unfreiwillig – weit außerhalb antrifft. Schon Lichtenberg, der nicht nur ,,neue Blicke durch alte Löcher'' werfen wollte, ging – wie man weiß – als Physikprofessor nach Göttingen. Doch wer vermutet schon, daß auch Henry Miller, wortmächtiges Idol der Pop- und Coca-Cola-Generation, sich nach Darmstadt wenden muß, wenn er Auskunft über seine Vorfahren haben will, ebenso wie einst der waschechte Münchner Komiker Karl Valentin, der sich allein schon durch seine bizarre Gestalt als ein Bruder des ,,Spirwes'' in der Lokalposse ,,Der Datterich'' zu erkennen gab, in der alle Darmstädter Grundtypen stets neu lebendig werden. ,,Nur in der Fremde ist der Fremde fremd'', sagte er einmal unsinnig tiefsinnig und ließ darin vielleicht unbewußt etwas von jenem leisen Heimweh anklingen, unter dem Karl Wolfskehl litt, als er sein Leben im Exil in Neuseeland mit den Worten beschloß: ,,Auf des Erdteils letztem Inselriff begreif ich, was ich nie begriff. Ich sehe und ich überseh' des Lebens wechselvolle See!''

Die Literatur war auch in Darmstadt stets eine Angelegenheit des aufge-klärten und bildungsbereiten Bürgertums. Doch als sie un- oder gar antibürgerlich wurde, spielte sie sich in der ,,Dachstube'' ab. Dort wurde die Szene zum ,,Tribunal'', und so sollte es bleiben bis zu denen, die später als ,,Die Gesellschaft vom Dachboden'' in die Literatur eingingen.

Inzwischen sind aber nicht nur die Kritiker, sondern auch die Dichter längst wieder von den Dachböden herabgestiegen. Hinter dem Löwentor im Park Rosenhöhe – einst von Großherzog Ernst Ludwig zu einem gärtnerischen Kunstwerk gestaltet – erweist sich eine neue Künstlerkolonie ebenso wie manches Jugendstilhaus als ein geistfreundliches Refugium, wo Karl Krolow einfachheitshalber in ganz alltäglichen Gedichten, oftmals im Gehen, schwärmt von nichts weiter als Leben oder Gabriele Wohmann im schönen Gehege, in dem angeblich auch der Nachtigall nichts Neues mehr einfällt, ein ländliches Fest, einen unwiderstehlichen Mann oder auch den Sieg über die Dämmerung penibel sezierend beschreibt.

Neubau Hessisches Landesmuseum
New extension to the Museum of Hesse
La nouvelle aile du Musée de la Hesse
Nueva ampliación del Museo del Estado de Hessen

Auf der Rosenhöhe
On the "Hill of Roses"
La Butte aux roses
En la colina de las rosas

Gabriele Wohmann

,,Baal'', Oper von Friedrich Cerha, nach Bertolt Brecht
"Baal", opera by Friedrich Cerha, libretto after Bertolt Brecht
«Baal», opéra de Friedrich Cerha, d'après Bertolt Brecht
«Baal», Opera de Friedrich Cerha, según la obra de Bertolt Brecht

Das Staatstheater
The State Theater
Le Théâtre National
El Teatro del Estado

Im Platanenhain auf der Mathildenhöhe
In the Plane Tree Grove on the Mathilde Hill
La Plataneraie sur la Mathildenhöhe
En la arboleda de plátanos en la colina de Mathilde

62

Bürgerschoppen am Steinbrücker Teich
Open-air festival at the "Steinbrücker Teich"
Que la bière coule à flots sur les rives de l'étang de Steinbrück
Fiesta popular al aire libre en el lago «Steinbrücker Teich»

Carl Gunschmann

64

Gotthelf Schlotter

Büchnerpreis für Heiner Müller
Presentation of the Büchner Prize for Heiner Müller
Remise du prix Büchner à Heiner Müller
Premio Büchner para Heiner Müller

Sommerfest der Aktionsgemeinschaft ,,Theaterfoyer''
Summer festival organized by the "Theater Foyer" society
Fête d'été de l'association «Foyer Théâtral»
Fiesta de verano organizada por la Sociedad de Amigos del «Foyer del Teatro»

Die Großstadt im Walde

,,Die Großstadt im Walde" hat sich Darmstadt im ersten Viertel dieses Jahrhunderts stolz genannt. Inzwischen hört man diesen Slogan nur noch selten, und wenn, dann mehr als fordernde und mahnende Erinnerung denn als kennzeichnendes Merkmal gesteigerter Wohnqualität. Doch trotz Autobahnen und Schnellstraßen, Industrieansiedlungen und wachsenden Neubaugebieten gibt es noch immer ziemlich viel Wald rund um die Stadt. Auch die oft gerühmte Bergstraße – die einmal strata montana hieß – hat kaum etwas von ihrer landschaftlichen Schönheit eingebüßt.

Freilich, an Stelle der alten Römer, die einst hier entlangzogen, rollt jetzt die Autolawine. Wer dabei hinter seinem Lenkrad noch Zeit findet, die Burg Frankenstein hoch oben wenigstens mit einem kurzen Blick flüchtig zu streifen, wird kaum vermuten, daß das alte Gemäuer dort mehr als nur zufällig den Namen mit jenem Unmenschen gemeinsam hat, der die Kinobesucher auf der ganzen Welt in Angst und Schrecken versetzt. Und doch ist es so.

Um die Wende vom 17. zum 18. Jahrhundert gab es hier einen armen Pfarrerssohn, der ein großer Gelehrter wurde und sich auch als Alchimist betätigte. Gegen das Ende seiner Tage faßte er den verwegenen Plan, hier auf dem Frankenstein, sozusagen mit ,,biochemischen" Methoden, einen künstlichen Menschen herzustellen. Ehe er jedoch beginnen konnte, ereilte ihn der Tod. Aber knapp hundert Jahre später schreibt Mary Shelley, die zweite Frau des mit Lord Byron befreundeten Dichters, die vielleicht etwas von den einstigen Plänen gehört hatte, einen Roman, in dem ein gleichfalls kühner Experimentator ein künstliches Monstrum in die Welt setzt, das ihm in der Folgezeit nichts als Ärger bereitet, und sie wählt – man höre und staune – als Titel für ihr Buch den Namen der Hauptfigur: Frankenstein! Seitdem ist dieser Name weltweit zu einem Begriff des Schreckens geworden.

Daneben nehmen sich die Herren von Rodenstein, die als Odenwälder Burggeister nächtens mit ihrem wilden Heerbann durch die Luft reiten, vergleichsweise harmlos aus . . . Und noch ein Stück deutscher Literaturgeschichte, und zwar ein ziemlich wuchtiges, ragt von Worms her über die sanfte Bergstraße hinweg in den dunklen Odenwald hinein: die Geschichte vom blonden Recken Siegfried, der seinem Schwager, dem Burgunderkönig Gunther in Worms, nicht nur auf dem Schlachtfeld tapfer zur Seite stand, sondern (ohne seine Gemahlin Kriemhild entsprechend zu informieren!) auch half, im Schlafgemach seines Herrn und Gebieters jene Autorität herzustellen, ohne die nach altdeutscher Auffassung kein Volk und noch weniger eine Familie vernünftig regiert werden kann.

Durch eine fast unverzeihliche Unachtsamkeit erfährt Kriemhild von dem nächtlichen Sondereinsatz ihres Mannes. Doch statt sich mit der durch arglistige Täuschung brutal übermannten Brunhilde emanzipatorisch zu

Steinbrücker Teich
"Steinbrück Lake"
L'étang de Steinbrück
El estanque Steinbrück

69

solidarisieren, streiten die beiden Frauen öffentlich um ihre gesellschaftliche Stellung.

Im weiteren Verlauf der Tragödie findet die in ihrer Frauenehre tief verletzte Brunhilde in dem finsteren Hagen das Werkzeug ihrer Rache, der Siegfried an einem Brunnen im Odenwald meuchlings ermordet. In rasendem Schmerz und getrieben von blinder Wut geht Kriemhild – nunmehr verwitwet – eine Vernunftehe mit Etzel ein, dem schon nicht mehr ganz jugendlichen Staatschef der Ungarn, der offenbar stolz ist, seinen Landsleuten mit einer blonden Klassefrau vom Rhein imponieren zu können. Doch Kriemhild, äußerlich noch gut erhalten, innerlich aber vom Haß zerfressen, kennt nur einen Gedanken: die Burgunder zu verderben! Also lädt sie ihren Bruder Gunther mit Hagen (und wer sonst noch mitkommen will) zu Besuch nach Ungarn ein und läßt sie dort alle umbringen. Daß der Palast Etzels dabei in Flammen aufgeht, stört sie nur wenig. – An diesen verhängnisvollen Zug der Burgunder durch den Odenwald erinnert noch heute die sogenannte Nibelungenstraße.

Zum Glück kommen solche familiären Konflikte heutzutage kaum noch vor, und was die Menschen unserer Tage in Massen auf die Straße treibt, sind eher sportliche Ereignisse, wie zum Beispiel das Bundesligaspiel des SV Darmstadt 98 gegen den Deutschen Meister Bayern München im heimatlichen Stadion am Böllenfalltor vor 30000 fußballbegeisterten Zuschauern.

Demgegenüber haben die Darmstädter Schwimmer, die traditionsgemäß am Großen Woog beheimatet sind, unter ihrem Trainer Janos Satori ihre Silber- und Bronzemedaillen bei den olympischen Spielen in Tokio 1964 von einer sehr viel bescheideneren Basis aus errungen. Ihre Rückkehr an den Woog aber brachte damals die Bürgerschaft in Massen auf die Beine, wie sonst nur beim alljährlich stattfindenden Heinerfest.

Das Wort „Heiner-Fest" wirft natürlich sofort die Frage auf, wie die Darmstädter zu der kollektiven Bezeichnung „Heiner" kommen. Sorgfältige Untersuchungen haben glaubhaft machen wollen, das Wort komme eher von „Hain" als etwa von „Heinrich", eine Vermutung, die die echten Heiner entweder nicht erreicht oder nicht überzeugt hat. Und in der Tat: bedenkt man das urbane Lebensgefühl der alteingesessenen Darmstädter, so können einem mit Recht gewisse Zweifel beschleichen, denn die Darmstädter kommen nicht einfach so aus dem Walde daher, sie sind – ob hoch, ob niedrig – Städter von Geburt. Urbanes Wesen kennzeichnet deshalb auch seit jeher das Verhältnis des Darmstädters zur ihn umgebenden Natur. Und wenn man nicht sicher wüßte, daß das Lied „Das Wandern ist des Müllers Lust" (im Gegensatz zu „Wanderers Sturmlied" von Goethe) nicht hier entstanden ist, möchte man es einem gebürtigen Darmstädter zuschreiben. Denn zutreffender als mit dieser Liedzeile kann man die hierorts herrschende Grundeinstellung vieler urbaner Wanderfreunde kaum ausdrücken. Der echte Darmstädter strebt nämlich eigentlich nur deshalb hinaus in die Natur, damit es ihm, wenn er müde zurückkehrt, zu Hause in seiner Stadt wieder um so besser gefällt.

Darmstädter Heinerfest
"Heinerfest" in Darmstadt
La «Heinerfest» à Darmstadt
El «Heinerfest» de Darmstadt

71

Am Jagdschloß Kranichstein
At the Hunting Lodge of Kranichstein
Château de Kranichstein, rendez-vous de chasse
En el castillo de caza de Kranichstein

Das „City-Haus"
The "City House"
La «City-Haus»
La Casa centro urbano

Der Große Woog
"Großer Woog"
Le «Großer Woog»
El «Großer Woog»

74

Das achteckige Haus
The "Octagonal House"
La maison octogonale
La Casa octágona

75

Blick auf das Auerbacher Schloß
View of Auerbach Castle
Vue du Château d'Auerbach
Vista del Castillo de Auerbach

Bergsträßer Wein bei Heppenheim
Vines, Bergstraße near Heppenheim
Vignobles de la Bergstraße à Heppenheim
Vino de la Bergstraße en Heppenheim

Burgruine Frankenstein
Castle ruins of Frankenstein
Ruines du Château de Frankenstein
Ruinas del castillo de Frankenstein

78

Freizeit- und Erholungszentrum am Oberwaldhaus
Recreation centre at the Oberwaldhaus
Centre de loisirs dans l'Oberwaldhaus
Centro recreativo y de paseo en Oberwaldhaus

Abendstimmung am Steinbrücker Teich
Evening at the "Steinbrück Lake"
Impressions vespérales sur l'étang de Steinbrück
Paisaje nocturno en el estanque Steinbrück

80

Europa noch nicht gefunden

„Europa noch nicht gefunden” – so oder so ähnlich müssen einst in einem kleinen phönizischen Königreich die Schlagzeilen der Abendzeitungen gelautet haben, denn Europa, die hübsche Tochter des Königs, war am gleichen Morgen entführt worden. Keinen Geringeren als Zeus, den Göttervater selbst, hatte ihre Schönheit derart entzückt, daß er sich in einen Stier verwandelte und die ahnungslose Jungfrau auf seinem breiten Rücken hinwegtrug – weit weg! Als der Stier die Ermattete endlich zur Erde gleiten ließ, erschien Aphrodite, die Göttin der Liebe, und verkündete dem verzweifelten Mädchen, der Erdteil, auf dem Zeus sie abgesetzt habe, werde von jetzt an ihren Namen tragen, also Europa heißen. Nachdem Europa ihren ersten Schrecken überwunden hatte, fühlte sie sich zwar geehrt, daß ein so mächtiger Gott wie Zeus sich ihretwegen solche Umstände gemacht habe, konnte aber die innere Zerrissenheit, die sie seitdem erfüllte, nie so recht überwinden. Doch nachdem dann dieser Zwist wieder einmal so heftig aufgeflammt war, wie nie zuvor, angestachelt von geradezu satanischen Kräften, beschloß die Internationale Bürgermeister-Union mit den ihr angeschlossenen Städten und Gemeinden, diesen Zustand Europas auf ihre Weise zu beenden, und zwar durch Städtepartnerschaften.

Solche zukunftsträchtigen Appelle wollte und konnte auch Darmstadt als geist-offene Stadt nicht unerhört verklingen lassen. Also trat der verdienstvolle Alt-Oberbürgermeister Dr. Ludwig Engel neben seinen vielen sonstigen Amtsgeschäften nun auch noch in Wort und Tat für die schwesterliche Verbindung zwischen Darmstadt und den Städten Troyes, Alkmaar, Chesterfield, Trondheim, Graz und Bursa ein.

Und so nahm denn alles seinen völlig freien Verlauf. Das Überraschende dabei aber ist, daß es zwischen den solcherart verschwisterten Städten mehr innere Übereinstimmung gibt, als man sich wohl hatte träumen lassen. Das auffälligste Beispiel hierfür dürfte vielleicht das norwegische Trondheim sein. Die Norweger haben nämlich, wie die Darmstädter, ein sehr differenziertes Verhältnis zur Arbeit. Es soll zwar überall Leute geben, für die Arbeit eben Arbeit ist, die ihr Leben ausfüllt. Doch in Trondheim wie in Darmstadt denkt man hierüber ganz anders. Gewiß, auch hier besteht das Leben der meisten Menschen vorwiegend aus Arbeit, aber man differenziert: Arbeit, die einer als Straßenbahnschaffner, Automechaniker, Lehrer oder Gastwirt leistet, unterscheidet sich grundsätzlich von der Arbeit, die ein Trondheimer leistet, indem er sein Angelzeug in Ordnung bringt oder sein Boot repariert, oder ein Darmstädter, indem er seinen Schrebergarten neu bepflanzt, Bierdeckel oder Bücher sammelt oder auch Gedichte schreibt.

Diese differenziertere Auffassung von Arbeit hat gerade auch in Norwegen zu einer recht differenzierten Einstellung zur Europäischen Gemeinschaft (EG) geführt, weil die Norweger mit Recht befürchten, daß sie durch den Beitritt zur EG in Zukunft weniger für sich, dafür aber noch mehr für die anderen werden arbeiten dürfen.

Und damit kommen wir zu der höchst wichtigen Frage, wie wir denn nun alle demnächst in unserem Europa leben wollen – wie und wofür? Natürlich in ,,Frieden und Freiheit", wie man uns lange Zeit immer wieder gesagt hat. Aber, was bedeutet das praktisch. Darüber gibt es offenbar sehr unterschiedliche Meinungen.

Die technisch-industrielle Entwicklung schreitet rasch voran, doch überall finden die Menschen mehr und mehr, daß manches Alte gar nicht so schlecht und vieles Neue längst nicht so gut ist, wie man zunächst gemeint hatte. Also, was sollen wir mit all dem Neuen? Und fühlen sich nicht auch immer mehr Menschen als kleines Rad in einer unüberschaubaren Maschinerie? Wird der Mensch aber diese Maschinerie auch weiterhin am Laufen halten, obwohl er sie in zunehmendem Maße als absurd empfindet? Leben wir wirklich alle nur nach der Maxime: immer mehr Dinge für immer mehr Menschen, damit alle beschäftigt sind – und keiner auf so dumme Gedanken kommt wie diese hier? Sind wir tatsächlich schon so viele geworden, daß es kein Zurück mehr geben kann? Sollte deshalb der einzige Sinn all unseres Tuns letztlich nur die Sinnlosigkeit sein? Als Dichter hat uns der schlesische Darmstädter Heinz Winfried Sabais schon vor Jahren zugerufen: ,,. . . Welt, dein König heißt

> Augias, und Herkules war
> ein unwiederholbares Gerücht. Hier
> sind andere Freiwillige nötig:
> Holt Sisyphos her!"

Ja, Sisyphos erscheint als der eigentliche Held unserer Zeit. Man warf ihm einst Leichtfertigkeit im Umgang mit den Göttern vor, denn er hatte den Todesgott in Ketten gelegt. Das führte zu einer derartigen Entvölkerung der Unterwelt, daß man Ares, den Gott des Krieges, beauftragte, den Tod wieder zu befreien. So geschah es, und der so Befreite nahm dann Sisyphos gleich mit in sein Reich. Dort muß er seitdem – zur Strafe – einen mächtigen Stein einen steilen Berg hinaufwälzen. Hat er den Stein endlich oben, rollt er sofort wieder herab, und Sisyphos muß seine Arbeit von neuem beginnen . . .

Doch was empfindet Sisyphos auf dem Rückweg zu seinem Stein? Denkt er über das Tragische seiner Situation nach, oder genießt er das kurze Glück vor dem Beginn der neuen Mühsal?

Nach dem Zweiten Weltkrieg sind die Völker Europas brav an ihren Stein zurückgekehrt. Der Stein rollt wieder! Aber jeder wälzt seinen Stein allein, und die Lage ist noch immer so, wie der ehemalige deutsche Botschafter Blankenhorn sie einst beschrieben hat: ,,Vieles ist bereits geschehen, aber noch mehr wird zu tun sein, um das Werk zu vollenden und das Gebäude unseres europäischen Vaterlandes zu festigen."

Alkmaar, eine Stadt in Holland, 75000 Einwohner
Alkmaar, a town in the Netherlands with 75000 inhabitants
Alkmaar, ville hollandaise de 75000 habitants
Alkmaar, una ciudad de Holanda, 75000 habitantes

Bursa, eine Stadt in der Türkei, 500 000 Einwohner
Bursa, a town in Turkey with 500 000 inhabitants
Bursa, ville turque de 500 000 habitants
Bursa, una ciudad de Turquía, 500 000 habitantes

84

Chesterfield, eine Stadt in England, 95 000 Einwohner
Chesterfield, a town in Great Britain with 95 000 inhabitants
Chesterfield, ville anglaise de 95 000 habitants
Chesterfield, una ciudad de Inglaterra, 95 000 habitantes

Graz, eine Stadt in Österreich, 250 000 Einwohner
Graz, a town in Austria with 250 000 inhabitants
Graz, ville autrichienne de 250 000 habitants
Graz, una ciudad de Austria, 250 000 habitantes

Trondheim, eine Stadt in Norwegen, 135000 Einwohner
Trondheim, a town in Norway with 135000 inhabitants
Trondheim, ville norvégienne de 135000 habitants
Trondheim, una ciudad de Noruega, 135000 habitantes

Troyes, eine Stadt in Frankreich, 120 000 Einwohner
Troyes, a town in France with 120 000 inhabitants
Troyes, ville française de 120 000 habitants
Troyes, una ciudad de Francia, 120 000 habitantes

Darmstadt, *a pleasant town*

*Darmstadt is stimulating,
sometimes even exciting.
It is situated on a plain,
but that is not the only
reason why this town has
wide horizons.*

Darmstadt ist still the pleasant town it used to be. Now, as before, it considers itself to be the cultural capital of Hesse. The intellectual climate of this town is obviously related to its geographical position between the realism of Frankfurt and the romance of Heidelberg. It is just as difficult to explain the name "Darmstadt" as it is the name "Heiner", which is given to the residents of Darmstadt. The modern and the traditional mix well here. Today, the market place, the Stadtkirche (town church) and the old town hall represent the old city centre which was destroyed during the Second World War. But even a town changes with time. The cheerful blue sky, however, remains unchanged and is a permanent example for the residents of Darmstadt of how to accept the inadequacies of everyday life. Arts flourish in such an atmosphere as this. Since the time of Georg Büchner, Darmstadt has been a place where contact between yesterday, as it was, and tomorrow, as it ought to be, has never been lost.

Roads from all points of the compass lead to Darmstadt: from Frankfurt, the Rhine, the Bergstraße (a road running along the foot of the Odenwald mountains), and the Odenwald itself (the wooded mountain ranges between the rivers Main and Neckar).

People come along these roads to this town and a good many of them come to stay.

Darmstadt – once a princes' residence

Darmstadt – once the residence of Hessian Landgraves and Grand Dukes – is still the cultural capital of Hesse today. It is located in the "Middle West" of the Federal Republic of Germany.

A glance at the map shows that Darmstadt lies approximately midway between Bonn and Basle or, to be more exact, between the realism of Frankfurt and the romance of Heidelberg. The intellectual atmosphere of this town – which is one of clarity and decency – is influenced by its geographical position. An enlightened individualism prevails here, and although Darmstadt can only be described as a "Großstadt" (a large town), it has preserved a certain provincialism, a certain tranquility, of which it is proud and which it holds very dear.

As opposed to politics with its east – west relationship, Darmstadt has played a part in north – south communications ever since the railway linking the rivers Neckar and Main with the river Weser was built in the middle of the last century. It has not always been so, as you could have said Darmstadt lies between Würzburg and Mainz, but that was a long time ago.

At that time, the Counts of Katzenelnbogen, who owned the Castle of Rheinfels near St. Goar on the Rhine and had acquired a considerable fortune by levying river tolls on the traffic on the Rhine, were given the tenure of the area around Darmstadt by the Bishop of Würzburg. They built a moated castle here, which later became the town of Darmstadt.

Walther von der Vogelweide, a penniless poet for most of his life, once sang: "Dem Bogener, dem bin ich hold" ("The Count of Bogen, I like him well") after the Counts of Katzenelnbogen, as patrons of art, had shown him their appreciation.

The name of Katzenelnbogen is incidentally almost as difficult to explain as that of Darmstadt. Competent and less competent minds have tried, but without producing any convincing results. Maybe the solution is so simple that for this reason alone nobody has discovered it so far.

But we do not want to anticipate future research, should it one day be devoted to the useful activities of the huntsmen of yore or to those of the tanners' trade. It is an historical fact that on July 23, 1330, at Hagenau in Alsace, the status of a town was conferred upon Darmstadt, the new possession of the Counts of Katzenelnbogen, by Emperor Ludwig the Bavarian. Another fact is that, in 1457, the rich Katzenelnbogen heiress Anna married Landgrave Heinrich III of Hesse. That is how Darmstadt became an Hessian town.

If somebody says nowadays: "I am Hessian", he makes an almost meaningless statement because Hesse, historically, is a colourful composite extending from Weilburg to Fulda and from the river Weser to the river Neckar.

This image is mirrored in the philosophy of the people who live in Hesse and is the consequence of a number of political events in the past. The most important inner-German borderline since the days of the Roman occupation of Germania, that is, the river Main, runs right through Hesse. As a result there are not only North and South Germans, but also North and South Hessians.

Over the long period of time it took for Darmstadt to grow from a moated castle into a large town, it remained largely unscathed by spectacular historical events. Nevertheless, in the 16th century, Franz von Sickingen, a knight of the Empire, once bombarded the town and the Thirty Years' War brought death and misery. In addition, soldiers of Louis XIV, the French Sun King, plundered some houses and tried to pull down sections of the town wall. It was not until the great French revolution that an historical event shook the souls of the residents like the shock wave from an explosion. Yet soon after, under the rule of the first Grand Duke, the former Landgrave, whom Napoleon had raised to this rank, life returned to normal as it was before the revolution, when Landgrave Ludwig IX used to drill his "Tall Guards" in Pirmasens, while Landgravine Caroline, his wife, corresponded with Voltaire and gathered about her in Darmstadt a circle of sensitive minds united by their common cult of "Sensibility". Besides Johann Heinrich Merck, Herder and Goethe also belonged to this circle, before they finally went to Weimar. This is why the Classical Period in Germany took place on the banks of the river Ilm, while Darmstadt went from Preclassicism to the Biedermeier Era.

At that time, the architect Georg Moller gave Darmstadt, a former baroque town, an outwardly classicistic character, which it still possesses today. The straight, wide Rheinstraße is Darmstadt's gate way to the west, and everybody, whether they come from the main station or from the autobahn, travel along this road which leads to the centre of the town. And here, a high column in the centre of a large square lifts – in the true meaning of the word – a benign and indulgent "Father of the People" to the skies.

Darmstadt's town centre

Darmstadt's central square, the heart of the town, is called Luisenplatz after Luise, the first Grand Duchess. She was a modest woman who, in the troubled years around 1800, stood by her husband for over 50 years as befits a loyal Mother of the People. If this square did not retain her memory she would perhaps be completely forgotten today.

What is modern and traditional blends together well in this square. Although heavy traffic is diverted to roads on the outskirts and ring roads far from the centre, this square is still the centre point of the town. Roads from all points of the compass lead to this square: from the south along the Bergstraße, from Frankfurt in the north, from the Rhine in the west and from the remote Spessart mountains in the east. People come along these roads to Darmstadt, some travel on, but a good many of them come to stay.

If you walk from the Luisenplatz along the Upper Rheinstraße towards the Castle, you get an idea of what was hoped to be achieved in the 17th century under the rule of the Landgrave Ernst Ludwig. At that time the construction of many buildings increased the opportunities of making money which resulted in a sharp increase in the number of inhabitants. Between the sumptuous south front of the Castle and the much older and more modest town hall lies the market place, and behind it the town church. Today the market place with its picturesque fountain, the old town hall, and the town church are all that remains of the former town centre, which was destroyed in the Second World War. In the past, before its destruction, it had always represented the soul of the Darmstadtians' town, and they ensure that it is not forgotten. The ground on which it had stood is the ground of a community with a strong sense of independence. For this reason, too, it may at times have represented a very unsmooth path when not even the honest trades and crafts were the proverbial gold mines. This did not change when Philipp the Magnanimous divided Hesse in the year 1567 and made Darmstadt a residence for his son Georg I. Instead, however, something like court life developed in Darmstadt: boat trips on the Woog (a small lake on the outskirts of the town), hunting parties and rural festivals took place. The citizens liked to amuse themselves in the "Gambling House", and even the poorest of the poor were taken care of, if we are to believe the reports. Besides hunting another princely passion became important, that is, the military. The first infantry barracks was built in 1750 for 200 men. But despite all this, the muses in Darmstadt could never be silenced for long:

,,Der Mond ist aufgegangen,
die goldnen Sternlein prangen
am Himmel hell und klar;
der Wald steht schwarz und schweiget,
und aus den Wiesen steiget
der weiße Nebel wunderbar."

(The moon arises in the sky,
the little stars shine clear and high,
resplendent in golden light.
The black wood in deep silence stays,
and over the meadows a soft haze
is floating in wondrous white)

With these famous lines by Matthias Claudius, the "Lichtwiesen" near Darmstadt – so tradition has it – passed into literature. Today the new buildings of the Technical University are situated on the Lichtwiesen. Claudius lived and worked as an editor in Darmstadt for one year in 1777. Four years before, Merck, together with his friend Goethe, had printed Goethe's chivalry drama "Götz von Berlichingen". We can imagine that this play may have sounded as bad as a tin drum to the ears of the ladies in their crinolines and the gentlemen with their pigtails.

Goethe, the son of the Muses, soon became Minister in Weimar, and Merck, in the service of his Landgrave, kept careful account of the rifles and soldiers' uniforms. "The Gods gave us Elysium on earth", Goethe once said and ended the poem with a sigh: "Oh, why only Elysium?" – Why indeed? This is a question that Georg Büchner, the most highly gifted but also the most radical of all Darmstadtians that has ever lived, may have posed himself, before he wrote in a letter in Gießen to his parents: "Every night I pray to the hemp and lanterns."

Niebergall, his fellow-student, did not think much of such revolutionary attitudes and, instead, he wrote in Darmstadt dialect the immortal local comedy, "The Datterich", which to date has always drawn a full house. Niebergall's theatrical genius did not prevent him from writing abominable horror stories, for money of course, and also for booklets available in the library situated in the "Bockshaut", an inn in Darmstadt. This library had been the source of the enormous quantities of reading material for Georg Gottfried Gervinus, the innkeeper's son. Gervinus, incidently, was not only a voracious reader, who later was to write the first history of German literature, he also had an unhappy love affair. He fell head over heels in love with a young actress of the Grand Duke's Court Theatre, and this experience aroused his ardent desire to become an actor himself. At her parents' request, however, the young lady very politely turned him down, so that he was then free to follow his real vocation – politics. He became an historian and, in 1848, a member of the St. Paul's Church Parliament in Frankfurt. Later he violently polemized against Bismarck and although, at that time, nobody would listen to them, his prognoses were all correct in the end.

Another prominent Darmstadtian was Justus Liebig, whose parents' house was in the "Ochsengasse". As a boy, he used to watch a street vendor in the market place as he made torpedos from mercury fulminate. Deeply impressed by this performance, the boy decided to become a chemist. As a student in Erlangen he became friendly with the poet Platen. It was also in Erlangen that he took part in a protest demonstration and promptly got into a good deal of trouble. After he returned from Paris, where he studied for a while, he was appointed as a Professor of Chemistry in Gießen, at a very young age. Here he invented not only the meat extract named after him, but also mineral fertilizers, thus providing his own personal contribution to solving the most urgent problems of his time.

This town has always produced restless innovators of all kinds . . .

Life is easy there . . .

,,Es lebt sich leicht in ihm.
Man weiß: der liberale Mond
Ist hier noch Mond, die Nacht
Noch Nacht, mit Scherzen und Geflüster . . ."

(Life is easy there . . .
You know, the liberal moon
is moon there still, the night
still night, with jokes and whisper . . .)

These lines are not by Shakespeare, as one might perhaps believe, but by Karl Krolow, a lyrical poet, who lives in Darmstadt. "Somebody who was not born in Darmstadt but has lived there for years as I have", he once said, "is in an especially happy situation . . . I have become a citizen in a community – uniquely situated between North and South – that at first sight had something discreet and inconspicuous about it, rather than something attractive . . ."
These words refer to a very characteristic trait in Darmstadt's image which is worth looking at more closely: a true Darmstadtian is always the opposite of a hero. If someone is called a hero here, he may be sure that he has not exactly acquired renown. Pathos is something that, in this town, occurs only on the stage, and if it does, it is an exception to the rule. There is an unmistakable dialectic relation between Darmstadtians and their environs. Their language is not melodious, and so they use it for reasoning rather than because they enjoy its melodiousness. An attitude of wise superior relativism makes Darmstadtians regard the inadequacies of life as the smaller image of a not quite perfect creation and, hence, they accept the shortcomings of human beings with patient calmness.
The genuine weapon of the Darmstadtian is not his fist (let alone a gun), but a quick wit distinguished by precise brevity and subtle sarcasm. Yet to mitigate the effect of his sharp tongue he is at the same time good-natured, warm and understanding. Nothing is further from his mind than imperial gestures. He has his great moments not in parliamentary debates nor on the tribune's rostrum, but in the pub at the regular patrons' table. This atmosphere inspires his imagination, which then may rise from its normal state of mild skepticism to those heights where rebellion and resignation unadvertently mix.
As a rule, a process of mutual adaptation takes place between the citizens and their town. Fate, however, imprints itself eventually on the façade of a town, and Darmstadt is no exception. It was during the Second World War that Darmstadt was dramatically altered when more than three million cubic metres of debris had to be removed. "The men of the first hour", as those were respectfully called who, at that time, had the courage to assume political responsibility, made decisions for the future. Since they had to start virtually from scratch and as there were many new industries looking for new domiciles, they had the freedom of the choice. And so, in those bad times, they chose what they wanted to have in the good times: non-polluting industries such as printing firms, bookbinders and publishing houses.
But everything was kept within reasonable limits and whatever was created then was to be useful as well as beautiful. So, for example, a cosmetics firm from Thüringen came to settle in Darmstadt. But besides newcomers, there

were old, long-established enterprises that had survived and stayed in Darmstadt, among them an internationally renowned chemical and pharmaceutical company as well as some enterprises in the engineering and motor sectors. In addition – something which millions of people see who watch television every night – the weather chart also comes from Darmstadt, where even space is carefully observed by the satellites.

What began as reconstruction, soon developed into an "economic miracle". Less successful than the attempts to create new jobs were those to reconstruct the destroyed town. Under the impression that they stood at the beginning of a completely new era, decision-makers sometimes parted all too quickly with damaged remnants of the past – unfortunately for ever. Other ruins remained ruins for decades. But citizens had meanwhile become critical observers, and so, under their watchful eyes, a belated attempt was made to reduce to some degree – e. g. by laying some dainty pavement in the Luisenplatz – the impression of colossality that emanates from the dark façade of the new "Luisencenter" and that does not seem to harmonize with the mentality of Darmstadtians, although most of them have become accustomed to it in the meantime. But, after all, time does not stop, and we have to accept that the path of our community today leads from Moller to Mengler (the architect of the Luisencenter and a number of other new buildings in the town). "Honi soit qui mal y pense".

Yet, in clear weather the sky over the town is still mild and blue; it is cheerful and also lends some of its splendour to the creations of modern architecture.

The swan as a messenger

Whenever Wagner's opera "Lohengrin" was performed in Darmstadt, the swan as the messenger from the Grail used to glide slowly and silently over the stage, since stage technique was perfect. Many other operas by Richard Wagner have been performed here since the middle of the last century, and neither effort nor expense has been spared, both in Darmstadt and in Munich. In 1833 Grand Duke Ludwig III married the Catholic Princess Mathilde, daughter of Ludwig I of Bavaria, and aunt of the Bavarian "Fairy King" Ludwig II, who built the Castles of Hohenschwangau, Linderhof and Herrenchiemsee, impressive examples of a neo-romanticism that survived in a time of progressive industrialization. These examples influenced the work of Stefan George, an author, who was also connected with Darmstadt. Although born in Bingen, he attended a grammar school in Darmstadt, the "Gymnasium", and found his first friends in this town. In 1862, in Osborne, another princely wedding took place that established cultural and intellectual ties, that is, the wedding between Grand Duke Ludwig IV and Princess Alice of Great Britain and Ireland, daughter of Queen Victoria who – like Empress Maria Theresia – lent her name to a whole era.

It was in Great Britain that Karl Marx, grandson of a Rabbi, developed his ideas on labour and capital which were to have such a immense and lasting influence, and it was also in Great Britain that, in the middle of the century, a young generation of artists began to resent the false, phoney character of industrial mass products. Their ideas quickly spread from London and Glasgow to the continent and met with a lively response in Brussels, Paris, Nancy, Munich, Vienna, Petersburg – and Darmstadt.

In Germany, the supporters of the new movement belonged to a generation who had grown up during the so-called "Gründerzeit", a period of rapid industrial development in Germany after 1871, but who liked very little of the ambitious parvenu mentality of their fathers. The young artists not only longed for a new type of art, but also for a new life of youth, spring, nature and landscape, nakedness and dance. They were devoted to their lofty ideals with mild ecstacy and quiet obsession. It was the period of the „Jugendstil" (art nouveau, youth style).

In Darmstadt, where Ernst Ludwig, artistically gifted with an Anglo-European education, had succeeded his father as Grand Duke, the new type of art was welcomed not only as a significant improvement in the quality of art, but also – in realistic terms – as a fresh incentive for crafts, trade and industry. Thus, quite unexpectedly, Darmstadt was to have its great historic moment which was probably the consequence of an exhibition in the pre-war "Kunsthalle", in which artists like Hans Christiansen, the painter, and Ludwig

Habich, the sculptor, took part. Shortly after Ernst Ludwig invited five other artists to settle in Darmstadt, among them the architect Joseph Maria Olbrich from Vienna. The oldest of them was thirty-two, the youngest twenty. However there were not enough houses and studios for the artists, so it was suggested that an artists' colony should be set up and to make the artists' houses and studios themselves objects in an exhibition. The plan was realized and the exhibition took place on the Mathildenhöhe (a hillock in the east of the town) in 1901. It was an international sensation. Never before had so many visitors come to Darmstadt – they came because something had been realized here which was elsewhere still only a dream, that is, the unity of art and life, man and nature, work and play. Inspired by a common creative impulse, artists and artisans developed new designs for cutlery and china, pictures and books, tables and chairs, houses and gardens, so that everything was to be both useful and beautiful. The artists spoke of a new form of life, new ethical principles, a new understanding of the human body, a new culture of home life. Men and women were to feel like Adam and Eve. There was a great deal of dancing and solemn gestures, but there were also noisy studio parties both in Darmstadt and in Munich's artists' quarter, Schwabing.

At first the new type of art was greeted like the rosy dawn of a new day, then it was seen as a turning point, and finally it was seen as the fiery sunset at the end of a day. The future definitely belonged to the masses and the machines. Besides the typical Jugendstil figures surrounded by luxuriant vegetation and always reminding the viewer to a certain extent of Lohengrin and Elsa, there were dark swans gliding on calm waters over mysterious depths, seen as messengers of death.

In 1976 – 75 years later – a commemorative exhibition showed once more all the Jugendstil objects that had survived and could still be traced after such a long time. More than 500,000 visitors from home and abroad saw the exhibition, which clearly proves that this beautiful Utopia can still fascinate the new generation.

Darmstadt – where the arts flourish . . .

"Darmstadt – where the arts flourish . . .", as the slogan goes, including on the postal marks. No wonder many artists feel more at home in this town than anywhere else. But how could it be otherwise in a town where an essayist and lyrical poet of highest class, Heinz Winfried Sabais, was mayor for many years? He himself took care, with esprit and energy, that other artists might find in his town the congenial atmosphere they needed for creative work, sacrificing the completion of his own literary work to the duties of his office. He was the man who wisely said: "Lack of humour is as ridiculous as it is immortal". He came from Silesia, but settled in Darmstadt. He was the initiator of the "Darmstädter Gespräche" (round table discussions) which cleared people's minds after the Second World War, just like the streets were cleared of rubble. He thus proceeded, in his way, along a path on which Ernst Ludwig, together with Hermann Keyserling and his "School of Wisdom", had set out after the First World War in an attempt to create a new life through a spiritual rebirth.

It had always been wars, those that were lost in particular, that evoked such re-thinking, and to which cultural life, above all theatre and dramatic art, owed many inspirations.

The appetite for new artistic experience was insatiable and so, for the first time in 1946, "International Summer Courses for New Music" were organized which offered young musicians and composers from all corners of the world the opportunity to experiment with sounds and rhythms in a way that made everybody including the experts, listen.

The literary world, of course, did not wish to remain inactive in this time of intellectual need. A "German Academy for Language and Literature" was founded, which, since 1951, has had its domicile in Darmstadt. "The Academy", according to its president, Peter de Mendelssohn, "wants to eliminate what is bad and rotten, to keep alive and foster what has stood the test of time, and to pay tribute to all that is new and promising". The members of the Academy – lyrical poets, novelists, dramatists, essayists, journalists, historians, linguists and literary historians – hold regular meetings every spring in places far away from Darmstadt to show that the Academy is a national institution and not only a local, Darmstadtian, one. Those who are envious call it a "literary gentlemen's club", while those who have no respect call it a "poets' guild". But when, at the regular autumn meetings which take place in Darmstadt, not only the Georg Büchner Prize, but also the Sigmund Freud Prize for Scientific Prose and the Johann Heinrich Merck Price for Literary Criticism are awarded, there is always a full house.

In this town you always feel that you are standing on the line between yesterday as it was and tomorrow as it ought to be. Here the doors are open wide without any faint-hearted scruples to new developments, however strange they may appear at first sight. In the staircase pavilion of the main exhibition building on the Mathildenhöhe, attentive visitors may read the command determining the cultural policy of the town: "Have due reverence for the past and the courage to break new ground; be true to yourself and faithful to those you love".

Most well-known names are, in some way or other, connected with Darmstadt's musical life – Beethoven, Paganini, Carl Maria von Weber, Henriette Sontag, Friedrich Flotow, Jenny Lind, Franz Liszt, Karl Böhm, Benjamin Britten.

As far as Darmstadt's painters are concerned, not all of them were as highly talented as Karl Philipp Fohr who in 1818 – at the age of twenty-three – drowned in the Tiber near Rome, or as Eugen Bracht who, in some of his works, is surprisingly modern.

Sculptors, too, received profitable and rewarding orders in Darmstadt. Johann Baptist Scholl was the creator not only of tombstones and sepulchres in neo-romantic style, but also of a statue that symbolizes this urban community: the "Darmstadtia". Later, fortunately, the artistic quality of sculptures improved under the influence of the new Jugendstil, as Habich and Hoetger have proved convincingly.

A source of pride for Darmstadt is the large number of literary authors and authoresses living in Darmstadt. It is therefore quite understandable that some of them – voluntarily or involuntarily – live far out of the town. Lichtenberg, for example, who wanted not only to cast "new glances through old holes", went to Göttingen, where he was appointed Professor of Physics, a well-known fact. But who would have guessed that even Henry Miller, the eloquent idol of the Pop and Coca Cola generation had to turn to Darmstadt when he wanted to make inquiries about his ancestors? The same is true for the comic Karl Valentin, a true native of Munich one might think. But does not his bizarre appearance alone identify him as a spiritual brother of the "Spirwes" in Darmstadt's local comedy "The Datterich", which has immortalised all typical Darmstadtian characters? "Nur in der Fremde ist der Fremde fremd" (Only in a strange land is the stranger strange) was one of his absurdly profound quips, betraying perhaps a secret homesickness – a homesickness from which Karl Wolfskehl also suffered in his New Zealand exile and which was expressed in the lines he wrote before his death: "Auf des Erdteils letztem Inselriff begriff ich, was ich nie begriff. Ich sehe und ich überseh' des Lebens wechselvolle See". (This continent's remotest rocky shore has taught me what I never grasped before. I see now, and I oversee, life's restless ever-changing sea).

Literature in Darmstadt has always been the concern of enlightened citizens with a longing for refined education. But when literature estranged itself from the bourgeois world, or developed even anti-bourgeois tendencies, writers and poets retired to the "poet's attic". And often the attics were transformed into tribunals and the poets into judges of their time and society. This did not change until, much later, the "Gesellschaft vom Dachboden" (the society from the attic) became part of literary history.

Meanwhile, however, critics and poets have long left their attics and moved to more comfortable places. In the park with its Lion Gate, on the Rosenhöhe, – designed by Ernst Ludwig as a masterpiece of horticulture – a new artists' colony offers writers and artists, in the same way as many "Jugendstil" houses had done in their time, a congenial refuge where Karl Krolow, mostly while taking his walks, dreams about life, or where Gabriele Wohmann in her "beautiful preserve", where allegedly not even the nightingale can think of anything new, meticulously describes a festival in the country, an irresistible man or even a victory over the shadows of dusk.

A large town in the midst of forests

"Darmstadt – a large town in the midst of forests", is what Darmstadt liked to call itself in the first quarter of this century. You rarely hear this slogan now, but when it is used it is rather an admonitory and challenging remembrance than an essential feature of a town possessing a higher quality of living. But despite all the motorways and highways and all the new industrial and residential areas there is still woodland around the town. And the much-praised "Bergstraße" has lost little of its beauty.

Nowadays, instead of the old Romans that used to march along the "Bergstraße", avalanches of motor cars rumble north- and southward. If you get the opportunity to cast a quick glance up at the Castle of Frankenstein as you drive by, you will find it hard to believe that it is more than pure coincidence that this old castle shares its name with that monster who frightens cinema-goers throughout the world. And yet it is true. At the end of the 17th and the beginning of the 18th centuries, there lived a poor parson's son who became a great scientist and occupied himself with alchemy. Towards the end of his life he was fascinated by the bold and ambitious idea to produce an artificial human being by "bio-chemical" methods. But before he could start this experiment he died. About a hundred years later Mary Shelley, the second wife of the poet Shelley, one of Lord Byron's friends, wrote a novel which tells the story of an equally bold experimenter who created an artificial monster that afterwards caused him nothing but trouble. The author chose as the title of her book – of all things – the name Frankenstein, the chief character of her plot, and this is how Frankenstein became the incarnation of horror to millions of people all over the world.

Compared with him the Masters of the Castle of Rodenstein, the ghostly "Rodensteiners" who take nightly rides with their Wild Hunt, seem relatively harmless.

The Odenwald and Bergstraße are scenes of another episode in German literary history – a rather important one – whose path can be traced from Worms on the Rhine over the soft Bergstraße hills to the dark woods of the Odenwald. It is the story of Siegfried, the fair-haired Germanic hero, who bravely stood by his brother-in-law, King Gunther of Burgundy in Worms, not only on the battle-field but also in the latter's bedroom (without duly informing Kriemhilde, Siegfried's wife) in order to help restore that kind of authority without which, in ancient-German opinion, neither a people nor a family can be ruled. Through an almost inexcusable act of negligence Kriemhilde heard of her husband's special nightly mission. But instead of supporting Brunhilde who was overpowered by shrewd male deceit, Kriemhilde publicly quarrelled with her about their respective social rank at court.

As the tragedy continues Brunhilde, whose honour as a wife and a women was deeply hurt, found a willing tool for her revenge in Hagen, a grim and cold-blooded courtier, who treacherously murdered Siegfried beside a fountain somewhere in the Odenwald.

Kriemhilde, in agonizing pain and blind fury, concluded a marriage of convenience with Etzel (Attila), the leader of the Hungarians, who, though no longer young himself, was obviously proud to impress his subjects with a fair-haired, ravishing lady from the Rhine. But Kriemhilde, still beautiful outwardly, was inwardly tormented with hatred, and obsessed by only one thought: to destroy the Burgundians. She invited her brother (and all his friends if they wanted to accompany him) to visit her in Hungary, where they were all slain one by one in a terrible hand-to-hand fighting. That the royal palace fell a prey to flames in the course of these events was not a matter of concern to Kriemhilde. The memory of this fateful march of the Burgundians through the Odenwald is remembered by the name given to a highway leading through the picturesque landscape of the Odenwald: the Nibelungen Road (after the "Nibelungen Saga" which is described above).

Fortunately, family conflicts of such proportions rarely occur nowadays. Instead sports events tend to bring masses of people out on the streets, e. g. the football match between the Darmstadt club SV 98 and the holder of the German football league Bavaria Munich, which took place in Darmstadt in the club's own stadium and attracted 30,000 football fans.

Compared with the footballers, Darmstadt's swimmers from the "Woog" (a small lake), under their trainer Janos Satori, left quietly for the Olympic

Games in Tokyo in 1964 to win their silver and bronze medals. But when they returned in triumph everything on two legs was in the streets. Such masses of people can only be mustered usually by the "Heinerfest", Darmstadt's annual public summer festival. The name "Heinerfest" incidently raises the question as to the origin of the name of "Heiner", the collective designation of Darmstadtians in general. Careful investigations lead us to believe that it is more likely to be derived from "Hain" (grove or small wood) than from "Heinrich", a supposition, however, that has not been accepted by the Heiners. And indeed, in view of the innate disposition of the trueborn Darmstadtians for an urban way of life, doubts seem justified. Darmstadtians are not backwoodsmen who happened leave their dens; they are – whether high or low in social rank – urbanites by birth. And urban is their attitude towards nature for if we did not know that the song ,,Das Wandern ist des Müller Lust" (Wandering is the young miller's delight) was not produced in Darmstadt (unlike Goethe's "Wanderers Sturmlied"), we might be tempted to attribute it to a Darmstadtian poet. For nothing could define more adequately the way in which Darmstadt's hikers stroll through their forests than the first line of this song. The real reason might be that they feel all the more at home in their town after they have returned to it, fairly tired, from a walk.

"Europa – still missing",

something like that may have been the headlines in the evening papers in a small Phoenician Kingdom after Europa, the Kings' pretty daughter, had been kidnapped that morning. Godfather Zeus himself was so enraptured by her beauty that he turned himself into a bull and carried the innocent virgin far away on his massive back. When finally the bull allowed the exhausted girl to dismount Aphrodite appeared, the goddess of love, to tell her that the continent where Zeus had deposited her should bear her name: Europe. After Europa had overcome her initial feeling of panic, she felt honoured by the thought that such a mighty god had gone to such trouble for her sake, but she never could quite overcome her inner disruption from which she still suffered. When one day the old quarrel flared up again as vehemently as never before, heated by fiendish malice, the International League of Mayors, together with their associated cities and communities, decided to put an end to Europa's deplorable state in their own way, and that was by establishing European town partnerships.

Darmstadt, as an open-minded community, could and would not turn a deaf ear to such hopeful appeals. So the former Mayor Dr. Ludwig Engel, a man of great merit, committed himself, in addition to all the other duties of his office, to promoting in word and deed the cordial relations between Darmstadt's partner towns of Troyes, Alkmaar, Chesterfield, Trondheim, Graz and Bursa.

The undertaking proved successful. The most surprising thing was that a great deal more concordance between the partner towns has come to light than one would have dreamt of. The most striking example is, perhaps, Trondheim. The Norwegians, similar to the Darmstadtians, have a rather sophisticated attitude towards work. It is said that there are "workaholics" everywhere, for whom life is nothing but work. But people in Trondheim as well as Darmstadt have their own opinions about that. Admittedly, most people's lives here consist to a large extent in work, but one should differentiate between work and work: the work one does as a conductor on the trams, a motor mechanic, teacher or innkeeper, is essentially different from the work a Trondheimian does when he puts his fishing tackle in order or repairs his boat, or a Darmstadtian, when he plants tomatoes or something else in his little garden, collects coasters or books or, maybe, writes poems.

The consequence of such a differentiated conception of work led Norwegians to a rather different attitude towards the European Community (EC), because they rightly feared that, once they had become members of the Community, they might have to work more for others than for their own benefit. In view of this standpoint, we are confronted with a very important question: How will all of us live in our Europe in the years to come – how and for what? Of course in "freedoom and peace" – a formula repeated over and over again. But there seem to be considerable differences of opinion as to what that means in practice. Technological and industrial development is rapidly progressing, but in the meantime plenty of people have realised that many old things are not as bad, and many new things not as good as they expect them to be. What good, then, are all the new things? And are people becoming more aware that they are nothing but tiny wheels in a huge machine? Will they continue to keep this machine running although they feel it to be absurd? Do we really live to come up to the maxim: more things for more people, so that we may be kept busy and prevented from getting such silly ideas in our heads as these mentioned here? Is it true that there are already so many of us that we have reached the point of no return? Should the only appreciation of life be a lack of any appreciation? Heinz Winfried Sabais, the Darmstadtian from Silesia, in his capacity as a poet he told us years ago:

". . . Welt, dein König heißt
Augias, und Herkules war
ein unwiederholbares Gerücht. Hier
sind andere Freiwillige nötig:
Holt Sisyphos her!"

("World, your king is
Augeas, and Hercules was
a rumour not to be repeated. Here
other volunteers are required.
Send for Sisyphus!")

Indeed, Sisyphus seems to be the true hero of our time. Once he was reproached for frivolity in his dealings with the gods, because he had put the God of Death in chains. This led to such a depopulation of Hades that Ares, the God of War, was ordered to free Death from his chains. He obeyed, and the God of Death did not hesitate to take Sisyphus with him into his realm where Sisyphus received his punishment for his hybris towards the gods: he had to roll a mighty rock up a steep slope, but as soon he had managed to push it up to the top it rolled down again, and Sisyphus had to begin his toil again. And this goes on for eternity.

But what does Sisyphus feel while he returns to his rock? Does he brood over his tragic fate, or does he enjoy the short moments of happiness before his drudgery begins anew?

After the Second World War people in Europe willingly returned to their rock. The rocks now seem to have started rolling again, and the situation is still as Blankenhorn, the former German ambassador, once described it: "Much has been done and more will have to be done, if we want to complete our work and strengthen our European fatherland".

Darmstadt, *l'aimable . . .*

Darmstadt, source d'inspiration
et d'exaltation,
ville aux larges horizons,
et ceci pas uniquement parce que
située dans la plaine

Darmstadt reste la ville sympathique qu'elle fut. Elle se sent toujours capitale culturelle de la Hesse. Son climat spirituel est manifestement conditionné par sa situation géographique entre Francfort la réaliste et Heidelberg la romantique.

Le nom de Darmstadt, comme le sobriquet de «Heiner» que portent ses habitants, s'expliquent difficilement. Le modernisme et la tradition s'y marient. La place du marché, la Stadtkirche (église de la Cité) et l'ancien Hôtel de ville représentent aujourd'hui la ville d'antan, disparue à la fin de la Seconde Guerre mondiale. La ville a bien changé depuis lors; Seul est resté le ciel bleu qui rend gai et enseigne depuis toujours aux habitants de Darmstadt à prendre en patience les difficultés de la vie quotidienne. C'est dans ce climat que prospèrent les beaux-arts. Ici, depuis l'époque de Georg Büchner, le passé côtoie constamment l'avenir. Des quatre horizons, tous les chemins mènent à Darmstadt: de Francfort, du Rhin, de la Bergstraße et de l'Odenwald.

Sur tous ces chemins, des hommes sont venus à Darmstadt et nombreux sont ceux qui y sont restés.

Darmstadt – capitale d'antan

Darmstadt, autrefois capitale des landgraves et des grands-ducs de la Hesse et depuis toujours capitale culturelle de ce land, est une région de l'Allemagne moyenne.

Lorsque nous examinons la carte de la République Fédérale d'Allemagne, nous trouvons Darmstadt à mi-chemin entre Bonn et Bâle ou, pour être plus précis, entre Francfort et Heidelberg.

Le climat spirituel de cette ville doit tout à sa situation géographique: il est clair et humain; à Darmstadt règne un individualisme éclairé et, si elle mérite le titre de grande ville, on y trouve, à ne pas s'y méprendre, une quiétude ou tranquillité d'âme quelque peu provinciale dont les habitants aiment à se prévaloir.

Contrairement à la grande politique, caractérisée, elle, par des relations est-ouest, Darmstadt est fortement intégrée dans les communications nord-sud et ceci depuis le milieu du siècle dernier, à la suite de la construction du chemin de fer reliant le Neckar et le Main à la Weser. Auparavant, les historiens situaient Darmstadt entre Wurtzbourg et Mayence. Mais il y a bien longtemps de cela . . .

A l'époque, les comtes de Katzenelnbogen, maîtres du château de Rheinfels près de St-Goar, ayant accumulé de considérables richesses grâce aux péages et droits exigés sur les marchandises transportées sur le Rhin, obtinrent en fief, de l'évêque de Wurtzbourg, la région de Darmstadt où ils érigèrent un château fort entouré d'eau.

Walther von der Vogelweide, poète lyrique médiéval, a chanté les louanges des Katzenelnbogen, ses mécènes, qui l'avaient sorti de la misère.

Le nom de Katzenelnbogen est d'ailleurs presque aussi difficile à expliquer que celui de Darmstadt. Des personnes plus ou moins qualifiées s'y sont essayées, mais en vain.

Peut-être la solution est-elle trop simple. N'anticipons cependant pas sur la recherche qui, un jour sans doute, se consacrera à l'activité fort utile des chasseurs et aussi des tanneurs d'autrefois!

Il est historiquement établi que les comtes de Katzenelnbogen ont obtenu le 23 juillet 1330, à Haguenau en Alsace, de l'empereur Louis IV de Bavière les droits de cité pour Darmstadt. De même, il est hors de doute que la riche Anna von Katzenelnbogen a épousé, en 1457, le landgrave Henri III de Hesse. Depuis cette date, Darmstadt fait partie de la Hesse.

Mais se dire de nos jours originaire de la Hesse n'est pas dire grand-chose. En effet, historiquement parlant, la Hesse est un état composite s'étendant de Weilburg à Fulda et de la Weser au Neckar.

Les mentalités hessoises sont à l'avenant. Sans doute les événements politico-historiques ont-ils joué un rôle décisif dans ce contexte, car le Main qui traverse la Hesse fut, depuis l'occupation romaine de la Germanie, la frontière intérieure allemande la plus importante. De ce fait, il existe non seulement des Allemands du Nord et du Sud, mais également des Hessois du Nord et du Sud. Durant la longue période pendant laquelle Darmstadt s'est transformée en une grande ville, elle est restée à l'abri des bouleversements historiques spectaculaires.

Mais, au XVIe siècle, le chevalier von Sickingen fit bombarder la ville, la misère y règna pendant la guerre de Trente Ans, les soldats du Roi-Soleil mirent à sac quelques maisons et essayèrent de démanteler certaines parties des remparts. Mais ce fut la Révolution Française qui ébranla les esprits, comme le souffle d'une explosion lointaine. Peu après cependant, sous le landgrave nommé grand-duc par Napoléon, tout rentra dans l'ordre et la vie suivit son cours normal, comme à l'époque du landgrave Louis IX, qui faisait manœuvrer ses «grands gaillards» à Pirmasens, pendant que son épouse, Caroline, entretenait une correspondance avec Voltaire et réunissait à Darmstadt un cercle de beaux-esprits dont firent partie Johann Heinrich Merck, Herder et Goethe avant que ces deux derniers ne partent définitivement pour Weimar. De ce fait, le classicisme allemand s'exprima sur les berges de l'Ilm tandis qu'à Darmstadt, on passa directement du pré-classicisme au romantisme.

A cette époque, Darmstadt jusqu'alors baroque, acquit sous l'influence de l'architecte Georg Moller quelques traits classiques qui caractérisent encore maintenant l'image de la ville. La Rheinstraße, large artère droite, est le symbole de l'ouverture à l'Ouest. C'est par cette voie que toute personne venant de la gare principale ou de l'autoroute accède au centre-ville. Là au centre d'une place, se dresse une colonne qui, au sens strict du mot, porte aux nues un souverain aussi aimable qu'indulgent.

Le centre-ville de Darmstadt

Le centre-ville de Darmstadt, c'est la Luisenplatz qui porte le nom de la Grande-Duchesse Louise, femme modeste qui, pendant plus de cinquante ans resta durant la période agitée aux alentours de 1800 aux côtés de son époux, comme il se doit pour une souveraine fidèle. Sans cette place, elle serait totalement oubliée.

Le modernisme et la tradition s'y marient. Si le trafic le plus important passe sur les grandes voies et autoroutes à une certaine distance de Darmstadt ou sur les artères périphériques de la ville, cette place n'en constitue pas moins la plaque tournante qu'elle fut de tout temps. Des quatre points cardinaux toutes les voies y conduisent: du sud par la Bergstraße, du nord par Francfort, du Rhin à l'ouest et du lointain Spessart à l'est. Sur toutes ces routes, des hommes sont venus à Darmstadt et nombreux sont ceux qui y sont restés.

Si l'on se dirige de la Luisenplatz vers le château, en passant par la Rheinstraße, il n'est point difficile de deviner les visées de Darmstadt à l'époque du landgrave Ernest Louis, au XVIIe siècle. Entre la somptueuse façade sud du château transformé en style baroque et l'Hôtel de ville, beaucoup plus modeste et plus ancien, on trouve la Place du marché avec, à l'arrière-plan, l'église de la Cité. La Place du marché avec sa fontaine, l'ancien Hôtel de ville et l'église de la Cité sont les vestiges de la vieille ville disparue depuis la dernière guerre. Jusqu'alors, cette place était le port d'attache psychologique de tous les natifs de Darmstadt, pour qui elle est demeurée inoubliée.

On se trouve ici sur le sol mémorable d'une communauté en quête d'indépendance. Aussi l'endroit fut-il par moments une terre peu accueillante où même d'honnêtes artisans ne trouvaient pas toujours leur compte. Le partage de la Hesse, en 1567, par Philippe le Magnanime et même l'accession de Darmstadt au rang de capitale grâce à son fils, George Ier, n'apportèrent aucun changement. Mais la vie à la cour incita la noblesse et les fonctionnaires à venir à Darmstadt, où la qualité de la vie ne cessa de s'améliorer. On apprit à bien vivre: les promenades en bateau sur le Woog, les parties de chasse et les fêtes champêtres aux alentours de la ville étaient en vogue. A la «maison de jeu», les citoyens s'amusaient et, à en croire les publications de l'époque, on prenait même soin des plus pauvres parmi les pauvres.

Parallèlement à la chasse, la vie militaire ne tarda pas à jouer un rôle important. La première caserne d'infanterie, logeant 200 hommes, fut construite en 1750. Mais, à Darmstadt, les muses ont toujours fait la loi:

«Der Mond ist aufgegangen,
die goldnen Sternlein prangen
am Himmel hell und klar;
der Wald steht schwarz und schweiget,
und aus den Wiesen steiget
der weiße Nebel wunderbar.»

C'est grâce à ces vers de Matthias Claudius que les «Lichtwiesen» de Darmstadt sont, dit-on, entrées dans la littérature. A cet endroit en effet, se trouvent les nouveaux bâtiments de l'Institut Polytechnique de Darmstadt. En 1777, Claudius y avait travaillé pendant un an comme rédacteur. Quatre ans auparavant, Merck et son ami Goethe avaient fait imprimer le premier drame de l'écrivain «Goetz von Berlichingen», qui a dû faire impression sur ces dames en robes à paniers et ces seigneurs en perruques poudrées.

Peu après, le préféré des muses, Goethe, devint ministre, tandis que Merck, au service de son landgrave, tenait fidèlement les livres comptabilisant fusils et uniformes. «Les dieux nous ont donné l'Elysée sur terre» avait dit, jadis, Goethe en terminant sur un soupir, «et pourquoi l'Elysée seulement?» Georg Büchner, le plus doué mais aussi le plus extrémiste qui fût parmi les habitants de Darmstadt, s'était déjà posé la question avant d'écrire de Gießen à ses parents: «Tous les soirs je prie le Bon Dieu pour que certains soient pendus». Son camarade d'études Niebergall ignorait ce genre d'esprit révolutionnaire et s'attacha à écrire, en dialecte de Darmstadt, sa pièce burlesque et immortelle «Der Datterich» (Le Tremblotant), qui ne cesse de faire salle comble. Mais, simultanément, il publiait aussi d'horribles récits d'épouvante pour de l'argent s'entend, dans des gazettes fournies dans les bibliothèques de prêt, telle celle du restaurant «Zur Bockshaut», où Georg Gottfried Gervinus, le fils du patron, puisa pendant de longues années. Gervinus fut un lecteur assidu, en mesure quelques années plus tard d'écrire une première histoire de la littérature allemande, et qui tomba passionnément amoureux d'une jeune actrice du théâtre grand-ducal, au point de vouloir devenir lui-même acteur. Le refus que lui fit parvenir poliment par la suite la jeune artiste au nom de ses parents, lui ouvrit en quelque sorte la carrière politique. Il devint historien et en 1848 député à la Diète de Francfort. Plus tard, il attaqua violemment Bismarck et eut raison avec toutes ses prédictions que personne cependant ne prenait au sérieux.

La ville compte parmi ses enfants un autre citoyen célèbre: Justus Liebig qui habitait dans la Ochsengasse. Un jour, au marché, il vit un marchand ambulant faire des pétards à partir de fulminate de mercure. Il décida aussitôt de devenir chimiste. Etudiant, il se lia avec le poète Platen et participa, à Erlangen, à une manifestation, ce qui ne tarda pas à lui causer de sérieux ennuis. Après un séjour à Paris, très jeune encore, il fut nommé professeur de chimie à Gießen. C'est là qu'il découvrit l'extrait de viande qui porte son nom, mais aussi les engrais minéraux, contribuant ainsi personnellement à résoudre les graves problèmes de son temps.

Des innovateurs agités de tout genre, la ville en a toujours connu.

«Il fait doux y vivre . . .»

«Il fait doux y vivre. On sait: la lune libérale et généreuse est toujours la lune ici, la nuit reste la nuit, avec les plaisanteries, les chuchoteries . . .» Ces lignes ne sont pas de Shakespeare, mais de Karl Krolow, poète lyrique. «Celui qui, comme moi, dit-il, n'est pas né à Darmstadt, mais y vit depuis des années, se trouve ici dans une situation particulièrement heureuse . . . La

communauté dont j'étais devenu le concitoyen située de façon caractéristique au centre de l'Allemagne avait quelque chose de discret plutôt que d'attrayant . . .»

Cela tient à un trait caractéristique des habitants de la ville, qui mérite d'être examiné d'un peu plus près: le vrai natif de Darmstadt est l'opposé d'un héros. Le pathétique n'existe que sur scène et exceptionnellement encore. Entre le natif de Darmstadt et son environnement il y a un rapport dialectal évident. La langue n'est pas mélodieuse et ne se prête pas à la musique, mais au raisonnement! Un relativisme sage et souverain permet aux habitants de ne voir dans les difficultés quotidiennes que le reflet d'une création inachevée, ce qui les incite également à une indulgence tranquille envers les imperfections humaines.

La vraie arme à Darmstadt n'est pas le poing (et encore moins le fusil), mais la boutade, caractérisée par la concision et le sarcasme subtil. Et cependant la vivacité d'esprit ironique laisse toujours la place à une volonté de comprendre, à une bonhomie, à une certaine cordialité. Rien de plus étranger à Darmstadt que les gestes impérieux. L'orateur n'a ses grands moments ni dans les débats parlementaires, ni comme tribun, mais au café du coin. C'est ici que son imagination s'enflamme, c'est ici qu'il se dépouille de la douce mélancolie du sceptique et atteint les hauteurs où la révolte et la résignation se confondent imperceptiblement.

L'homme et sa ville s'adaptent l'un à l'autre. Mais, même le visage d'une ville est finalement buriné par son destin. C'est ainsi que Darmstadt a changé de visage dans le courant de l'histoire, mais jamais aussi profondément qu'après la Seconde Guerre mondiale. Plus de trois millions de mètres cubes de décombres étaient à déblayer. On nomma respectueusement «hommes de la première heure» les intrépides qui se chargèrent très tôt de responsabilité politique et prirent des décisions engageant l'avenir. Et puisqu'ils partaient pratiquement de zéro et que les nouvelles industries étaient un peu partout à la recherche de nouvelles implantations, ils avaient l'embarras du choix. C'est ainsi qu'ils choisirent aux heures sombres, ce qu'ils se souhaitaient pour les temps meilleurs: imprimeries, ateliers de reliure, maisons d'édition et tout ce qui fit partie de «l'industrie non polluante». Tout cela avec mesure, l'utile toujours combiné à l'agréable. C'est ainsi que, venant de la Thuringe, une société de produits cosmétiques s'implanta à Darmstadt. Sur place, il y avait déjà une entreprise chimique et pharmaceutique mondialement connue, des entreprises construction mécanique et des ateliers de construction de moteurs. La carte météorologique que des millions de spectateurs voient tous les soirs à la télévision, vient aussi de Darmstadt, où l'on observe par ailleurs soigneusement l'espace et les satellites.

La reconstruction a conduit tout droit au «miracle allemand». La remise sur pied de la ville détruite ne connut pas tout à fait le même succès que la création de nouveaux postes de travail. Le sentiment de repartir à zéro a causé une rupture par trop nette et malheureusement définitive avec le passé. D'autres ruines durent par contre attendre des décennies. Sur la Luisenplatz, on s'efforça plus tard de réduire un peu, sous les yeux d'une population attentive, par un pavage décoratif, l'impression de colossal qu'avait pu faire naître un instant le nouveau «Luisencenter» que les vieux habitants de la ville ont quelques difficultés à accepter, même si entre temps la plupart d'entre eux s'y sont habitués. Le temps passe et notre communauté moderne englobe aussi bien Moller que Mengler (promoteur immobilier de Darmstadt): «Honni soit qui mal y pense!»

Par temps clair, le ciel bleu et l'air toujours clément incitent à la gaieté et prêtent à plus d'une construction moderne l'éclat de sa beauté.

Le cygne messager

A chaque représentation de Lohengrin à Darmstadt, le cygne, messager du Saint-Graal, glisse majestueusement et silencieusement sur la scène, car la machinerie théâtrale y a toujours été parfaite.

Beaucoup d'autres opéras de Richard Wagner ont également été représentés depuis le milieu du siècle dernier, à Darmstadt.

Comme à Munich, on n'a jamais reculé ni devant l'effort ni devant la dépense. Déjà, en 1833, le Grand-Duc Louis III avait épousé la princesse catholique Mathilde, fille de Louis Iᵉʳ de Bavière et tante du «roi fou» qui fit construire les châteaux de Hohenschwangau, Neuschwanstein, Linderhof et Herrenchiemsee, donnant un exemple néoromantique en une période d'industrialisation progressive, exemple qui trouva son reflet dans les vers de Stefan George, originaire il est vrai de Bingen, mais qui fréquenta le lycée de Darmstadt où il trouva également ses premiers amis.

Un mariage princier nouait à nouveau des relations spirituelles et culturelles: en 1862, le Grand-Duc Louis IV épousa, à Osborne, la Princesse Alice de Grande-Bretagne et d'Irlande, fille de la reine Victoria qui, à l'instar de Marie-Thérèse en son temps, prêta son nom à toute une époque.

C'est en Angleterre que Karl Marx, petit-fils de rabbin, développa ses idées sur le capital et le travail et c'est là également qu'un groupe de jeunes artistes ressentit clairement, vers le milieu du siècle dernier, l'inauthenticité des produits fabriqués en série. Leurs constatations ne restèrent pas limitées aux seules villes de Londres et Glasgow, mais furent reprises à Bruxelles, Paris, Nancy, Munich, Vienne, Saint-Pétersbourg et Darmstadt.

En Allemagne, ce nouveau mouvement fut soutenu par une génération qui avait grandi dans les folles années de spéculation après 1871, mais n'appréciait guère la mentalité des parvenus de l'époque. Les jeunes artistes voulaient non seulement renouveler les arts, mais également changer le mode de vie: la jeunesse, le printemps, les paysages, la nudité, la danse et le tout en un doux enivrement, une obsession silencieuse. Cette nouvelle joie de vivre fut baptisée modern style.

A Darmstadt, où le Grand-Duc Ernest Louis, doué pour plus d'un art et éduqué à l'anglaise, avait pris les rênes du pouvoir, les aspirations ne se limitaient pas seulement à une qualité artistique accrue. En parfaits réalistes, on comptait plutôt sur des impulsions capables de stimuler l'artisanat, l'industrie et le commerce. C'est ainsi qu'apparut une chance unique, peut-être suscitée par une exposition à laquelle participaient le peintre Hans Christiansen et le sculpteur Ludwig Habich. C'est peu après qu'Ernest Louis fit venir cinq autres artistes à Darmstadt, parmi lesquels l'architecte viennois Joseph Maria Olbrich. Ils avaient entre vingt et trente deux ans.

Mais appartements et ateliers faisaient toujours défaut. C'est ainsi que naquit l'idée de fonder une colonie d'artistes, de faire des maisons et des ateliers les objets d'une exposition future. Ce qui fut réalisé ensuite, en 1901, sur la Mathildenhöhe, fit sensation au plan international. Jamais auparavant autant d'étrangers n'avaient visité Darmstadt, car un rêve s'était soudain réalisé: l'unité de l'art et de la vie, de l'homme et la nature, du jeu et du sérieux. L'art et les arts décoratifs en un commun effort s'efforçaient de façonner vaisselle et couverts, tableaux et livres, tables et chaises et même maisons entières et jardins. Tout devait être utile et agréable! On parlait de réforme de la vie, de nouvelle vertu, d'une nouvelle compréhension du corps humain, d'un nouvel habitat. L'homme et la femme devaient se sentir comme Adam et Eve. Il y avait beaucoup de danses et de gestes solennels, mais aussi de grandes fêtes d'atelier, à Darmstadt comme à Schwabing (Munich).

Au début on voyait dans cette nouvelle conception de l'art l'aurore d'une ère nouvelle, puis on la ressentit comme un tournant pour la percevoir finalement comme un crépuscule. L'avenir appartenait aux masses et aux machines. En dehors des formes «modern style» luxuriantes et florissantes rappelant en quelque sorte Lohengrin et Elsa, on voyait dans les nombreux cygnes glissant silencieusement sur les mystérieuses profondeurs des messagers de la mort.

En 1976, soit 75 ans plus tard, une exposition réunissant tout le matériel disponible était organisée à Darmstadt. Plus de 500.000 personnes accoururent d'Allemagne et de l'étranger et prouvèrent ainsi que le pouvoir de fascination de cette belle utopie pouvait à nouveau séduire une nouvelle génération.

A Darmstadt, les beaux-arts prospèrent

«A Darmstadt, les beaux-arts prospèrent!» peut-on lire partout et jusque sur les flammes postales. Il n'est pas étonnant alors que de nombreux artistes se plaisent mieux dans cette ville qu'ailleurs. Comment pourrait-il en être autrement, là où un poète lyrique et essayiste de haut rang a été maire pendant de longues années, renonçant à poursuivre son œuvre littéraire. Travaillant avec esprit, il a surtout agi en homme d'action pour que d'autres trouvent ici une ambiance propice au travail. Je veux parler de Heinz Winfried Sabais, originaire

de Silésie, devenue citoyen de Darmstadt et qui a dit: «L'absence d'humour est aussi ridicule qu'immortelle». Par le «Colloque de Darmstadt» qu'il organisa et dont l'intention était d'éliminer, après les terribles destructions de la guerre, les derniers «décombres» dans les esprits, après les avoir fait disparaître des rues, Sabais poursuivit sa façon ce qu'Ernest Louis et Hermann Keyserling et son «Ecole de la sagesse» avaient déjà entrepris une première fois, après la Première Guerre mondiale; organiser une vie nouvelle, sur de nouvelles bases spirituelles!

Malheureusement, ce furent presque toujours des guerres perdues qui conduisirent à ce genre de réflexion et qui apportèrent à la vie culturelle et surtout au théâtre un essor inespéré.

Jamais rassasié de nouveauté, on organisa pour la première fois en 1946 des «Cours de vacances internationaux de musique nouvelle» qui invitent des musiciens et compositeurs de tous les continents à expérimenter librement avec des tonalités et des rythmes qui éveillent l'intérêt, et pas seulement celui des spécialistes. Il est évident que les poètes et écrivains en cette période d'après-guerre n'entendaient pas rester inactifs. Ils fondèrent l'«Académie allemande de poésie et de linguistique» dont le siège, depuis 1951, est à Darmstadt. «L'Académie, dit son Président, Peter de Mendelssohn, veut éliminer ce qui est mort, ce qui est pourri, conserver ce qui a fait ses preuves, garder vivant l'héritage, récompenser ce qui est nouveau et prometteur».

En font partie des poètes lyriques, des narrateurs, des auteurs dramatiques, des essayistes, publicistes, historiens et chercheurs linguistiques et littéraires qui se réunissent régulièrement au printemps, à un endroit autre que Darmstadt pour signaler que l'Académie n'est pas seulement une institution locale, mais bien allemande. Les jaloux l'appellent «Club des hommes de lettres», les autres en font irrespectueusement la «Corporation des poètes». Mais quand à l'automne sont décernés en dehors du prix Georg Büchner, les prix Sigmund Freud de prose scientifique, et Johann Heinrich Merck, de critique littéraire, la salle est toujours comble. A Darmstadt, on touche continuellement aux frontières où le passé côtoie l'avenir. On n'hésite pas ici à ouvrir toutes grandes les portes des expositions à la nouveauté, même si, de prime abord, elle est étrange. Dans le pavillon devant la grande Salle des expositions de la Mathildenhöhe, on trouve la devise de la ville: «Respecte le passé, ose entreprendre et sois fidèle à ta nature et à toi-même». L'histoire de la vie musicale de Darmstadt est émaillée de nombreux noms prestigieux. Une série bien variée en effet, allant de Beethoven à Karl Böhm et Benjamin Britten, en passant par Paganini, Carl Maria von Weber, Henriette Sontag, Friedrich Flotow, Jenny Lind et Franz Liszt. Tous les peintres de Darmstadt n'eurent pas le talent de Karl Philipp Fohr qui, à l'âge de vingt-trois ans, se noya dans le Tibre près de Rome ou, plus tard, d'Eugen Bracht qui était d'un modernisme surprenant.

Les sculpteurs aussi trouvent ici des tâches intéressantes: Johann Baptist Scholl créa, en style gothique, non seulement des tombeaux, mais aussi comme symbole de cette communauté: la «Darmstadtia». Le «modern style» avec Habich et Hoetger apporta plus tard un progrès.

La ville de Darmstadt compte un nombre particulièrement important d'hommes et de femmes de lettres. Rien d'étonnant donc que quelques-uns se soient installés ailleurs – volontairement ou involontairement. Lichtenberg déjà qui disait ne pas vouloir seulement «jeter de nouveaux regards dans une perspective ancienne» fut professeur de physique à Göttingen. Mais qui aurait pu supposer qu'Henry Miller, le grand maître de la littérature, l'idole de la génération de la musique pop et du Coca-Cola devrait s'adresser à Darmstadt pour se renseigner sur ses ancêtres, de même d'ailleurs que le comédien munichois Karl Valentin qui, par sa silhouette bizarre, aurait pu être le frère de «Spirwes», dans la comédie burlesque «Der Datterich», véritable catalogue de personnalités typiques de Darmstadt. Avec son air pensif et idiot, Karl Valentin fit remarquer un jour: «C'est seulement à l'étranger que l'étranger est étranger» et donna ainsi involontairement libre cours à ce sentiment silencieux et nostalgique dont souffrait Karl Wolfskehl qui, en exil en Nouvelle-Zélande, prononça ces dernières paroles: «Sur le dernier récif de cette terre, je comprends ce que je n'ai jamais compris. Je vois et j'embrasse d'un coup d'œil la mer mouvementée de la vie».

Depuis toujours, la littérature à Darmstadt était l'affaire de la bourgeoisie éclairée et avide de savoir. Mais lorsqu'elle devint non bourgeoise, voire même antibourgeoise, elle survécut surtout à l'endroit appelé depuis Spitzweg «l'ermitage classique du poète», la chambre mansardée (der «Dachboden»), nom adopté par un cercle d'écrivains, transformé par la suite en «Tribunal», jusqu'à ce que la littérature les classe sous la désignation de «Gesellschaft vom Dachboden» (Cercle de la mansarde).

Entre temps, non seulement les critiques, mais aussi les poètes ont quitté la mansarde. Derrière la Porte aux lions, dans le parc de la Rosenhöhe que fit aménager le Grand-Duc Ernest Louis, véritable chef-d'œuvre horticole, très moderne d'ailleurs pour l'époque, une nouvelle colonie d'artistes et les maisons modern style se révèlent un excellent refuge à l'esprit. C'est là que Karl Krolow compose, souvent en marchant, des poèmes tout simples où il s'enthousiasme pour la vie tandis que Gabriele Wohmann, dans la belle enceinte où, paraît-il même le rossignol manque d'inspiration, décrit en disséquant au scalpel une fête villageoise, un homme charmant et irrésistible ou encore la victoire sur les lueurs crépusculaires.

La grande ville dans la forêt

Avec fierté, Darmstadt a choisi dans le premier quart de ce siècle la désignation de «Grande ville dans la forêt» qui n'est plus employée qu'à de rares occasions et uniquement en tant qu'exhortation ou encouragement et non plus comme rappel d'une qualité d'habitat typique et révolue. Malgré les autoroutes, les voies express, les quartiers industriels et les zones résidentielles en expansion, il y a toujours beaucoup de forêt autour de Darmstadt. Souvent vantée pour la beauté de son paysage, la Bergstraße est toujours intacte.

Certes, ce ne sont plus les Romains qui y passent, mais une file interminable de voitures. Celui qui, derrière le volant de sa voiture, trouve encore un instant pour reconnaître rapidement, sur les hauteurs, le château de Frankenstein, ne soupçonne guère que les vieilles murailles ont effectivement quelque chose de commun avec le monstre qui a effrayé le monde entier dans les cinémas. Voici ce qu'il en est.

Il était une fois, à la fin du XVIIe siècle, un pauvre fils de pasteur qui devint un grand savant et s'occupa d'alchimie. La fin de sa vie approchant, il projeta, au château de Frankenstein, de fabriquer un homme artificiel à l'aide de méthodes pour ainsi dire «biochimiques». Mais il mourut avant de mettre son projet à exécution.

Quelque cent ans plus tard, Mary Shelley, seconde épouse du poète ami de Lord Byron, qui avait peut-être entendu parler de ce projet, écrivit un roman dans lequel un expérimentateur audacieux crée également un monstre artificiel qui lui cause par la suite une série ininterrompue d'ennuis. Elle choisit comme titre (ô surprise!) le nom du personnage principal: Frankenstein. Depuis cette date, ce nom est devenu dans le monde entier l'expression de la plus horrible épouvante.

Les seigneurs de Rodenstein, fantômes des châteaux de l'Odenwald qui, la nuit, avec leurs ban et arrière-ban féroces, rôdent dans les airs, n'est qu'une histoire innocente comparée à la précédente . . . Un autre chapitre de la littérature allemande, plutôt violent de surcroît, nous vient de Worms, passant par la douce Bergstraße, pour s'enfoncer dans la sombre Forêt d'Odin: C'est l'histoire de Siegfried, ce héros aux cheveux blonds qui assista à Worms son beau-frère Gunther, roi des Burgondes, sur les champs de bataille, l'aida aussi (sans en avertir son épouse, Kriemhild!) à établir dans la chambre à coucher cette autorité sans laquelle, de l'avis des anciens, aucun peuple et encore moins une famille ne saurait être gouverné.

Par une inadvertance inexcusable, Kriemhild apprit l'action extraordinaire de son époux. Mais, au lieu de se solidariser, selon les règles de l'émancipation, avec Brunhild qui avait été maîtrisée grâce à une perfide duperie, les deux femmes se disputèrent publiquement leur rang social.

La tragédie se poursuit et Brunhild, profondément blessée en son honneur, trouve en Hagen l'instrument de sa vengeance. Il tue Siegfried dans un guet-apens près d'une source de l'Odenwald. Dans sa douleur et sa rage aveugle, Kriemhild, veuve maintenant, conclut un mariage de raison avec Etzel (Attila), roi vieillissant des Huns qui, apparemment est fier de pouvoir impressionner ses compatriotes avec une femme blonde du Rhin. Mais Kriemhild, toujours attirante, n'a que cette unique pensée: anéantir les Burgondes! Elle invite donc son frère Gunther avec Hagen (et tous ceux qui veulent bien venir) en Hongrie et les fait tous assassiner sur place. Que le palais d'Etzel devienne la proie des

flammes ne la dérange nullement. C'est cette marche fatale que la route des Nibelungen, de Worms à Amorbach, rappelle encore aujourd'hui.

Heureusement, de tels conflits familiaux ne se produisent plus guère de nos jours et ce sont plutôt des événements sportifs, comme par exemple un match de football entre le club SV Darmstadt 98, de première division contre les champions d'Allemagne, le Bayern de Munich, devant 30.000 spectateurs au stade du Böllenfalltor à Darmstadt, qui font descendre les foules dans la rue. Les nageurs de Darmstadt qui s'entraînent depuis toujours au Großer Woog avaient gagné, grâce à leur entraîneur Janos Satori, aux Jeux Olympiques de Tokyo en 1964, des médailles d'argent et de bronze, tout en partant d'une base modeste. Néanmoins, à leur retour à Darmstadt, tout le monde était dans la rue, comme pour l'événement annuel, la grande kermesse, la «Heinerfest».

Il va de soi que l'on se demande d'où vient ce sobriquet collectif de «Heiner» que portent les habitants de Darmstadt. Des recherches minutieuses ont accrédité la version selon laquelle le mot dériverait de «Hain» (bois, bosquet) plutôt que de «Heinrich» (Henri), une supposition toutefois qui n'a pas pu convaincre les vrais «Heiner». En effet, étant donné le goût des habitants de Darmstadt pour la vie urbaine un doute est à juste titre permis, car ces derniers ne viennent pas tout droit de la forêt mais sont, quelle que soit la classe à laquelle ils appartiennent, des citadins nés.

Une attitude urbaine est en effet typique des rapports des habitants de Darmstadt avec la nature. Seule la certitude que la chanson «Das Wandern ist des Müllers Lust» (Le meunier aime se promener) vient d'ailleurs, nous empêche de penser qu'elle est de la plume d'un enfant de Darmstadt (contrairement d'ailleurs au texte de Goethe «Wanderers Sturmlied»). Le titre en effet explique avec pertinence l'attitude fondamentale des citadins promeneurs. Le vrai natif de Darmstadt ne quitte sa maison pour se rendre dans la belle nature que pour l'apprécier davantage en rentrant.

Europe introuvable

«Europe introuvable» c'est ainsi ou de façon similaire que, dans un petit royaume phénicien, les manchettes des journaux du soir ont dû annoncer que la jolie fille du roi, Europe, avait été enlevée le matin-même. Zeus, lui-même, le dieu suprême en personne, touché par sa beauté, se transforma en taureau et l'emporta avant même qu'elle ne s'en rende compte. Lorsque, fatigué, le taureau descendit finalement sur terre, Aphrodite, déesse de l'amour, apparut pour annoncer à la jeune fille désespérée que le continent où elle venait d'être déposée par Zeus, porterait désormais son nom, Europe.

Ayant surmonté sa première frayeur, elle se sentit honorée qu'un dieu aussi puissant que Zeus se fût dérangé pour elle, mais elle resta cependant incapable de surmonter par la suite le déchirement qui l'accablait. Lorsque le déchirement, entretenu par des forces véritablement diaboliques, prit une ampleur jamais atteinte auparavant, l'Union internationale des maires, avec les villes et communes affiliées, décidèrent d'en finir à leur façon avec cette situation, notamment par le jumelage de leurs villes.

Ces appels pleins de promesses d'avenir, Darmstadt, ville à l'esprit grandement ouvert, ne voulait ni pouvait les ignorer. C'est ainsi que le Dr. Ludwig Engel, maire de l'époque, en plus des nombreux devoirs de sa charge, s'engagea dans la défense, par la parole et par les actes, de la grande cause des jumelages entre Darmstadt et les villes de Troyes, Alkmaar, Chesterfield, Trondheim, Graz et Brousse.

L'affaire suivit son cours, tout à fait librement. Ce qui surprend cependant, c'est qu'entre ces villes jumelées, il existe une harmonie dont jamais personne n'aurait osé rêver auparavant. L'exemple le plus frappant est peut-être celui de la ville norvégienne de Trondheim. Les Norvégiens de même que les habitants de Darmstadt considèrent le travail d'un même œil réticent. Bien qu'il y ait partout des personnes dont le travail remplit la vie, à Trondheim comme à Darmstadt, on est d'un tout autre avis. Certes ici aussi la vie de la plupart des hommes est principalement consacrée au travail, mais on tient à faire la distinction: travailler comme receveur des tramways, mécanicien automobile, maître d'école ou patron d'un restaurant se distingue nettement des activités des habitants de Trondheim qui réparent leurs équipements de pêcheur ou préparent leurs bateaux, ou des habitants de Darmstadt qui soignent leurs jardins ouvriers, collectionnent les dessous de verres de bière ou les livres ou écrivent des poèmes. Cette conception plus différenciée du travail a conduit en Norvège également à une attitude tout aussi réticente vis-à-vis de la Communauté Européenne, car les Norvégiens craignent, à juste titre, qu'en devenant membres de ladite Communauté, ils doivent moins travailler pour eux-mêmes, mais davantage pour les autres.

Ceci pose la question très importante de savoir comment nous désirons vivre dans notre future Europe. Comment et pourquoi? Evidemment pour la paix dans la liberté, ainsi qu'il nous a été répété maintes fois. Mais qu'est-ce que cela signifie dans la pratique? Les avis semblent très partagés.

L'évolution technico-industrielle avance à grands pas et partout on s'aperçoit de plus en plus souvent que bien des choses du passé avaient leur bon côté et que le présent n'a pas toujours tenu ses promesses de qualité. Que faire donc de toutes ces nouveautés? Le nombre de ceux qui ont l'impression de n'être qu'un rouage dans une machinerie insaisissable, n'augmente-t-il pas? L'homme pourra-t-il continuer à assurer le fonctionnement de cette machine, tout en la ressentant comme absurde? Notre devise à tous n'est-elle vraiment que de produire toujours plus pour un nombre toujours plus grand, afin que tout le monde ait un emploi et que personne ne produise des idées aussi sottes que celles-ci? Sommes-nous si nombreux qu'un retour en arrière soit exclu? Le seul sens de notre activité serait-il finalement le non-sens? Le Silésien Heinz Winfried Sabais enfant adoptif de Darmstadt, nous a expliqué en poète, il y a des années:

«. . .Welt, dein König heißt
Augias, und Herkules war
ein unwiederholbares Gerücht. Hier
sind andere Freiwillige nötig:
Holt Sisyphos her!»

«. . . monde, ton roi est
Augias, et Hercules fut
une rumeur irréitérable. Il faut
d'autres volontaires ici:
qu'on appelle Sisyphe!»

Oui, Sisyphe apparaît comme le véritable héros de notre temps. On lui a reproché d'avoir été frivole avec les dieux, pour avoir enchaîné le dieu de la mort. L'enfer, de ce fait, était si dépeuplé que l'on chargea Arès, dieu de la guerre, de libérer la mort. Celle-ci fit alors venir Sisyphe dans son royaume, où il fut condamné à rouler un énorme rocher sur une montagne. Arrivé au sommet, le rocher redescend aussitôt la pente et Sisyphe doit recommencer son travail . . . Mais que ressent Sisyphe en revenant à son rocher? Réfléchit-il à sa situation tragique ou jouit-il de son court répit, avant de retourner à son dur labeur?

Après la Seconde Guerre mondiale, les peuples d'Europe sont sagement retournés à leur dur labeur. Er le rocher descend de nouveau la pente. Mais chacun a son rocher à rouler et la situation est toujours celle que l'ancien ambassadeur allemand Blankenhorn décrivit autrefois ainsi: «Beaucoup de choses ont déjà été réalisées, mais il reste encore plus à faire pour terminer notre œuvre et pour consolider l'édifice de notre patrie européenne.»

Darmstadt *agradable en cualquier momento*

*Darmstadt es sugestiva y
puede incluso ser excitante.
De amplio alcance es la visión de
esta ciudad y no sólo porque
se encuentre en una comarca plana.*

Darmstadt sigue siendo en la actualidad la ciudad agradable de antaño.
Tal como antes, Darmstadt se considera ser la capital cultural del estado federal de Hesse. Su clima intelectual está sorprendentemente relacionado con su situación geográfica, entre la realista urbe de Francfort y la romántica ciudad de Heidelberg.
Difícil de explicar es el origen del nombre Darmstadt y del nombre «Heiner» con el cual se designa a los habitantes de esta ciudad. Aquí se aunan lo moderno y lo tradicional. La Plaza del Mercado, la Iglesia Municipal y el Ayuntamiento Viejo son representantes del antiguo casco urbano que ya no existe desde la segunda guerra mundial. Pero también una ciudad va cambiando su fisonomía, aunque no cambie el cielo azul que, elevando el ánimo, no para de enseñar a los habitantes de esta ciudad que la vida ha de tomarse con calma. Y es precisamente en este tipo de ambiente en el que florecen las artes.
Desde los tiempos de Georg Büchner, aquí confluye constantemente lo que ocurrió ayer con aquello que debería suceder mañana. Desde los cuatro puntos cardinales llegan caminos a Darmstadt: desde Francfort, desde el Rin, desde la frondosa región del Odenwald y por la Bergstrasse, la carretera que bordeando la montaña llega a Darmstadt desde el Sur.
Por todos estos caminos han llegado hombres y mujeres a Darmstadt y no pocos se han quedado aquí.

Darmstadt – en otros tiempos residencia

Darmstadt, antaño residencia de los Landgraves y Gran Duques de Hesse, hoy todavía capital cultural de este estado federal, se encuentra situada en el centro y occidente de la República Federal de Alemania.
Buscando a Darmstadt en el mapa, la encontramos a media distancia entre Bonn y Basilea; mejor dicho, entre la realista urbe de Francfort y la romántica ciudad de Heidelberg.
De su situación geográfica resulta también su clima intelectual, es luminosa y humana, dominando en ella un individualismo liberal; aunque sea una gran ciudad, no deja de reflejar el típico recogimiento de la provincia. Y es precisamente a este carácter al que aquí se le da gran importancia.
Al contrario de la gran política internacional, con sus relaciones entre el Este y el Occidente, para Darmstadt resulta de mayor importancia el eje Norte-Sur, especialmente tras la construcción del ferrocarril a mediados del siglo pasado, el cual une la región del Neckar y del Meno con la del Weser. Con anterioridad esto era distinto, pues en aquel antonces se hubiera dicho que Darmstadt se encuentra entre Würzburg al Este y Maguncia al Oeste, pero de eso hace ya mucho tiempo . . .
Los condes de Katzenelnbogen, a la sazón propietarios del castillo Rheinfels en St. Goar junto al Rin y poseedores de una gran fortuna por los aranceles cobrados por pasar el Rin, adquirieron en feudo del Obispo de Würzburg la región de Darmstadt y construyeron en ella un castillo rodeado de una zanja de agua.
El pobre Walther von der Vogelweide hace alusión en una de sus obras a los Condes de Katzenelnbogen, los cuales se habían convertido en su mecenas.
El nombre de Katzenelnbogen es casi tan difícil de explicar como el nombre de Darmstadt. Personas competentes y otras menos competentes han tratado de encontrar una explicación, pero siempre sin resultados convincentes. Pero quizás la solución sea tan sencilla, que sea ésta la razón de no haber dado con ella.

Pero por el momento no queremos adelantarnos a futuras investigaciones, por si se diera el caso de que alguien se dedicara a estudiar el provechoso quehacer de los cazadores y curtidores de antaño.
Históricamente cierto es el hecho de que el 23 de Julio de 1330 los Condes de Katzenelnbogen recibieron en Hagenau (Alsacia) los fueros o derechos municipales para Darmstadt de manos del emperador Luis el Bávaro. También es cierto que Ana, rica hija heredera de los Condes de Katzenelnbogen, contrajo matrimonio en 1457 con el Landgrave Enrique III de Hesse. Desde entonces Darmstadt es hesiense.
El que hoy dice «soy hesiense», no ha dicho mucho acerca de su origen, ya que Hesse, desde un punto de vista histórico, es una vasta y heterogénea región que abarca desde Weilburg hasta el río Fulda y desde el Weser hasta el Neckar.
La mentalidad de sus habitantes es por ello muy diversa. Acontecimientos político-históricos juegan un papel predominante, ya que a través de Hesse transcurre el río Meno, el cual desde los tiempos de los romanos en Germania es una de las más importantes fronteras naturales en el interior del país. El Meno diferencia no sólo entre alemanes del Norte y del Sur, sino también entre hesienses del Norte y hesienses del Sur.
Desde la época del castillo hasta los días de la gran ciudad transcurrió un largo período de tiempo, durante el cual Darmstadt se vio ampliamente dispensada de espectaculares acontecimientos históricos. Una vez Sickingen disparó contra Darmstadt, en la Guerra de los 30 Años hubo miseria y muerte, las tropas del Rey Sol saquearon casas y trataron de destruir partes de la muralla de la ciudad. Pero fue la Revolución Francesa la que excitó los ánimos de sus habitantes como una onda de presión de una explosión a distancia. Pero pronto todo volvió a la normalidad bajo el Landgrave que fue nombrado Gran Duque por Napoleón, cuando el Landgrave Luis IX todavía en Pirmasens exigía hacer instrucción a sus soldados, mientras su esposa Carolina entablaba correspondencia con Voltaire y en Darmstadt se formaba un círculo de intelectuales a los que además de Johann Heinrich Merck pertenecieron Herder y Goethe, hasta que estos últimos trasladaran definitivamente su residencia a Weimar. Así, la época clásica alemana transcurrió junto al río Ilm, mientras que en Darmstadt se pasó directamente desde el preclacicismo al estilo biedermeier.
Darmstadt, ciudad barroca hasta entonces, adquirió bajo el arquitecto Georg Moller al menos exteriormente formas clacicistas, las cuales siguen imprimiendo carácter a la ciudad hasta nuestros días. Una de sus más importantes arterias, la Rheinstrasse, sigue impertérrita su camino hacia el Oeste y es por esta amplia calle por la que todo el que venga desde la autopista o desde la estación del ferrocarril se adentra en el centro de la ciudad. En el Centro una columna alta en medio de una amplia plaza sirve de pedestal a uno de sus soberanos, simpático y comprensivo a la vez, como si sus súbditos quisieran ponerlo en las nubes.

El centro de Darmstadt

El centro de Darmstadt lo constituye el Luisenplatz, plaza que recibió su nombre en honor a la Gran Duquesa Luisa, aquella modesta mujer que en los movidos tiempos de finales del siglo XVIII y principios del XIX perseveró durante más de 50 años junto a su esposo en el papel que le correspondía como fiel soberana. De no haber sido dado su nombre a esta plaza, hubiera incurrido en el olvido más de lo que ya está olvidada a pesar de este honor.
Lo moderno y lo tradicional se aunan en esta plaza. Aunque el gran tráfico rodado transcurra por autopistas y cordones circundantes, esta plaza sigue siendo el punto neurálgico que siempre fue. De los cuatro puntos cardinales llegan caminos a Darmstadt: desde el Sur por la Bergstrasse, desde Francfort por el Norte, desde el Rin por el Oeste y desde el lejano Spessart por el Este. Por todos estos caminos llegaron gentes a Darmstadt, muchas volvieron a irse, pero no pocas se quedaron a vivir aquí.
Caminando desde el centro, Luisenplatz, por la parte superior de la Rheinstrasse hasta el Palacio, tiene uno la visión de lo que Darmstadt quiso ser bajo el Landgrave Ernst Ludwig en el siglo XVII.

Entre la fastuosa fachada sur del Palacio de estilo barroco y el Ayuntamiento, mucho más sencillo por ser de época anterior, se encuentra la Plaza del Mercado (Marktplatz) y detrás la Iglesia Municipal (Stadtkirche). La Plaza del Mercado con su fuente, el Ayuntamiento Viejo y la Iglesia se han convertido en los representantes del antiguo casco de la ciudad, que ya no existe desde la segunda guerra mundial. Hasta entonces fue el antiguo casco urbano la íntima patria chica de todos sus castizos habitantes y para ellos perdurará en su memoria.

Nos encontramos sobre los cimientos de un municipio que siempre luchó por su independencia, razón por la cual hubo tiempos bastante difíciles e incómodos. Ni siquiera los honrados artesanos tuvieron los dichosos tiempos que narran las leyendas. La situación tampoco cambió cuando, tras la división de Hesse por Felipe el Magnánimo en 1567, su hijo Georg I estableció su residencia en Darmstadt. Pero al menos la vida cortesana hizo que mejorara la calidad de vida en Darmstadt para nobles y funcionarios. Poco a poco se aprendió a vivir: así había posibilidad de pasear en bote por el lago Woog y se celebraban cacerías y fiestas camperas en las afueras de la ciudad. En la «casa de juegos» se divertía una alegre población e incluso se había pensado hasta en el más pobre de los pobres, si se da crédito a las crónicas de entonces.

Junto a la caza, los militares fueron ganando cada vez mayor importancia. El primer cuartel de infantería fue construido alrededor de 1750. No obstante las Musas irrumpían siempre de nuevo.

Der Mond ist aufgegangen,
die goldnen Sternlein prangen
am Himmel hell und klar;
der Wald steht schwarz und schweiget,
und aus den Wiesen steiget
der weiße Nebel wunderbar.

«La luna acaba de salir,
para con estrellitas de oro lucir
en un claro y despejado cielo;
el bosque está oscuro y en silencio,
y sobre el prado ya en ascenso,
una blanca niebla cubre todo el suelo.»

Según se dice, estos versos de Matthias Claudius habían sido dedicados por el autor a los verdes prados en las afueras de la ciudad, conocidos como Prados de la Luz (Lichtwiese). Allí se encuentran actualmente los nuevos edificios de la Escuela Técnica Superior. En 1777, Claudius estuvo trabajando como redactor durante un año en Darmstadt. Cuatro años antes, Merck y su amigo Goethe habían entregado a una imprenta la comedia alemana de capa y espada «Götz von Berlichingen», obra que en los delicados oidos de las damas en miriñaque y los caballeros con coleta debería asemejarse más bien a un tambor de hojalata. Goethe se convirtió pronto en ministro y Merck llevó lealmente para su landgrave las cuentas de las escopetas y los uniformes. Cierta vez Goethe había escrito «Los dioses nos dieron el Elíseo en la Tierra», terminando con un suspiro «¿Ay, porqué sólo el Elíseo?». Si, ¿porqué?. Georg Büchner, uno de los más inteligentes, pero también uno de los más radicales ciudadanos de Darmstadt, ya se había hecho la misma pregunta antes de escribir desde Giessen en una carta a sus padres: «Cada noche le rezo al cáñamo y a las farolas».

Su compañero Niebergall, desconocedor de estas ideas revolucionarias, escribía mientras tanto en el dialecto propio de la ciudad el inmortal sainete «Der Datterich», pieza popular que todavía hoy es puesta de vez en cuando en escena, siendo normal en taquilla el cartel de «no hay entradas». Pero a la vez se dedicó a escribir terribles historias espeluznantes, naturalmente por dinero y para esos periodicuchos que se podían pedir prestados en aquella biblioteca que existía en la posada «Zur Bockshaut» y que era de donde se abasteció de lectura durante años Gottfried Gervinus, hijo del posadero.

Gervinus fue un lector tan voraz, que años después pudo escribir la primera historia de la literatura alemana. De golpe y porrazo se enamoró de una joven actriz del teatro de la corte del Gran Duque, razón por la cual quiso hacerse también artista. La «calabaza» que la actriz le dio en nombre de sus padres fue la que le abrió el camino de la política. Se hizo historiador y en 1848 fue diputado del Parlamento de la Paulskirche de Francfort. Después polemizó enérgicamente contra Bismarck y en todos sus pronósticos, a los que nadie quiso

hacer caso, llegó a tener razón. Aquí en Darmstadt siempre se ha prestado atención a lo que Büchner llegara a llamar «fatalismo ciego de la historia».

Otro gran personaje de esta ciudad fue Justus Liebig de la típica calle Ochsengasse. Observando en la Plaza del Mercado a un vendedor ambulante que con fulminato de plata hacía bolitas crepitantes, decidió hacerse químico. Durante su época estudiantil fue amigo del poeta Platen; en Erlangen participó en una demostración de protesta, lo cual le produjo algunos problemas. Tras un viaje de estudios a París y siendo todavía muy joven, fue nombrado Profesor de Química en Giessen. Descubrió el extracto de carne que lleva su nombre así como el abono mineral e hizo muy valiosas aportaciones a las inquietantes preguntas de aquellos tiempos.

Innovadores intranquilos de toda índole los hubo aquí ya siempre . . .

Vivir aquí no es difícil

«Vivir aquí no es difícil. Se sabe que la luna liberal aquí sigue siendo luna. La noche sigue siendo noche con bromas y murmullos . . .»
Estas líneas no proceden de la pluma de Shakespeare, sino del poeta lírico Karl Krolow. «El que como yo» – sigue diciendo – «no ha nacido en Darmstadt, pero que desde hace años vive en esta ciudad, se encuentra en una situación especialmente feliz . . . Este municipio, del cual ahora soy ciudadano, goza de una formidable situación entre el Norte y el Sur de Alemania y tiene no obstante ante algo de discreto que de atractivo . . .»
La anterior descripción va muy bien con uno de los rasgos característicos de las gentes de Darmstadt, que bien vale la pena de estudiar con mayor detención. El típico ciudadano de Darmstadt es todo lo contrario de un héroe. El que aquí es considerado como héroe, puede estar bien seguro de que no goza de buena fama. El apasionamiento sólo existe en el escenario y nada más que en raras excepciones. Entre el ciudadano de Darmstadt y su medio ambiente existe una inequívoca relación dialéctica. Su lenguaje no es melódico, por lo que aquí las palabras en vez de para hacer música se utilizan para soltar improperios. Con un sabio relativismo de superioridad, las deficiencias de la vida diaria son consideradas solamente como pequeña imagen de una creación no del todo perfecta y se enfrenta por ello a las imperfecciones humanas con estoica tolerancia.
El arma genuina de las gentes de Darmstadt no es el puño (y mucho menos el fusil), sino su chiste, un chiste que se caracteriza por ser escueto y por su sutil sarcasmo. Con argucia irónica refleja a la vez comprensión, buenos sentimientos y cordialidad. No hay nada que esté más lejos del hombre de Darmstadt que los gestos imperialistas. Sus momentos más productivos no son públicamente en el parlamento o como orador, sino en las tertulias. Dando alas a su fantasía, se eleva desde los llanos de la melancolía dulce del escéptico hasta llegar a aquellas alturas en las que entre rebelión y resignación apenas existen fronteras.
El hombre y su ciudad se amoldan mútuamente. Pero también en las facciones de una ciudad el destino deja sus huellas. Así, Darmstadt ha ido cambiando con el tiempo su fisonomía, pero nunca tanto como desde la segunda guerra mundial. Más de tres millones de metros cúbicos de escombros tuvieron que ser retirados. «Hombres de la primera hora», como respetuosamente se llama a este grupo de intrépidos y resueltos, tomaron a tiempo la responsabilidad política y decidieron en pro del futuro de su ciudad. Como empezaron prácticamente en el punto cero y nuevas industrias buscaban terreno para establecerse, tuvieron donde escoger. Todavía en tiempos malos seleccionaron lo que ellos deseaban para los tiempos buenos, industrias sin chimenea como por ejemplo imprentas, editoriales, talleres de encuadernación. Todo ello sin excederse, para que el resultado fuera bonito y provechoso. Así llegó a Darmstadt una empresa de productos cosméticos, radicada anteriormente en Turingia. Además seguían en Darmstadt una tradicional y acreditada empresa químico-farmacéutica así como fábricas de maquinaria y motores. Incluso el mapa del tiempo que todas las noches se ve en la televisión viene desde Darmstadt, ciudad desde la cual el universo y sus satélites son sometidos a observación.
Lo que se comenzó con la reconstrucción de la ciudad, floreció durante el milagro económico.
No con tanto éxito como la creación de nuevos puestos de trabajo transcurrió el proceso de ordenación y reestructuración de la ciudad destruida. Bajo la

impresión de estar ante un nuevo comienzo, se eliminó con mucha rapidez bastante de lo antiguo. Pero mucho quedó en ruinas durante decenios. En el Luisenplatz, la plaza del centro, se ha intentado mientras tanto contrarrestar un poco el carácter de coloso del nuevo centro comercial allí construido, que no está en armonía con la mentalidad de sus castizos habitantes, aunque mientras tanto la mayor parte se haya acostumbrado ya al mismo. El tiempo no puede pararse y así el camino de nuestro municipio va desde Moller hasta Mengler: «Honi soit qui mal y pense» (infame el que aquí mal piense). Pero en días claros, la ciudad entera irradia la luminosidad de un cielo azul y templado, el cual además de elevar el ánimo, también confiere el brillo de la belleza a alguna de las modernas construcciones.

El cisne como mensajero

En todas las representaciones de Lohengrin en Darmstadt, el cisne como mensajero del Grial siempre se deslizaba lenta y silenciosamente, ya que la técnica escénica era perfecta. Otras muchas óperas de Richard Wagner han sido puestas en escena en Darmstadt desde mediados del siglo pasado. Al igual que en Munich, en Darmstadt nunca se ha reparado en sacrificios y gastos relacionados con el teatro. Ya en el año de 1833, el Gran Duque Luis III se casó en Munich con una princesa católica, Mathilde, hija de Luis I de Baviera y tía de aquel rey «legendario» que construyó los palacios de Hohenschwangau, Neuschwanstein, Linderhof y junto al lago Herrenchiem y que, en aquellos tiempos de progresiva industrialización, dio un ejemplo de neorromanticismo, reflejado incluso en los versos de Stefan George, aquel poeta oriundo de Bingen que estudió el bachillerato en Darmstadt, ciudad en la que hizo sus primeros amigos.
Otra boda real sirvió para establecer nuevos lazos intelectuales y culturales: en 1862 el Gran Duque Luis IV contrajo matrimonio en Osborne con la Princesa Alicia de Gran Bretaña e Irlanda, hija de la Reina Victoria que, al igual que María Teresa, ha dado su nombre a toda una época.
Allí en Inglaterra, Carl Marx, nieto de un rabino, se estaba ocupando de los problemas relacionados con el capital y el trabajo y, a mediados de siglo, una joven generación de artistas sentía preocupación por la falta de autenticidad de los productos industriales hechos en gran escala. Su pensamiento no quedó limitado a sus ambientes de Londres y Glasgow, sino que se propagó hasta Bruselas, París, Nancy, Munich, Viena, Petersburgo y Darmstadt.
En Alemania este nuevo movimiento fue apoyado por una generación que se había formado después de 1870, fecha de la constitución de Alemania como nación, pero que no encontró gusto por este ambicioso espíritu advenedizo de aquella época. Los jóvenes artistas querían no sólo un nuevo arte, sino también una nueva vida: juventud, primavera, paisaje, desnudez, danza; todo ello en un suave éxtasis, en una plácida obsesión. Esta nueva sensación de vida recibió en alemán el nombre de «Jugendstil» o Arte Nuevo.
En Darmstadt, donde a la sazón gobernaba el Gran Duque Ernst Ludwig, muy polifacético desde el punto de vista artístico y educado al estilo anglo-europeo, se esperaba también que mejorara no sólo la calidad de las artes sino que también la artesanía, el comercio y la industria experimentaran un importante auge. Y así imperceptiblemente llegó la hora estelar para Darmstadt, atraída quizás por una exposición en la Sala de Arte de entonces, en la cual participaron el pintor Hans Christiansen y el escultor Ludwig Habich. El caso es que poco después el Gran Duque Ernst Ludwig llamó a Darmstadt a otros cinco artistas, entre ellos al arquitecto vienés Joseph Maria Olbrich. El mayor de ellos tenía treinta y dos años y el más joven tan sólo veinte.
Pero todavía faltaban estudios y viviendas. Así maduró la idea de fundar una colonia de artistas y que tanto los estudios como las viviendas de los artistas fueran objeto de una exposición. Lo que después en 1901 surgió en la colina Mathildenhöhe fue una sensación internacional. Nunca con anterioridad habían venido a Darmstadt tantos forasteros como entonces, ya que aquí de repente se hizo realidad algo de lo que en otros lugares recién se empezaba a soñar: la unidad de arte y vida, hombre y naturaleza, diversión y seriedad. El instinto creativo en el que se fundieron el arte y las artes útiles abarcó vajilla y cubiertos, cuadros y libros, mesa y sillas, casa y jardín. Se quería que todo fuera útil y bello. Se habló de reforma de la vida, de nuevas virtudes, de una nueva comprensión del cuerpo, de una nueva cultura de la vivienda. El hombre

y la mujer debían sentirse como en su tiempo Adán y Eva. Hubo muchas danzas y actos solemnes, pero simultáneamente había también embriagadoras fiestas en los estudios de los artistas de Darmstadt y de Schwabing.
Al principio se veía en el nuevo arte la aurora de un nuevo principio; después fue considerado como un cambio, hasta que finalmente se llegó a la conclusión de que era más bien el crepúsculo de un bonito ocaso. El futuro pertenecía decididamente a las masas y a las máquinas. Junto a las formas de Jugendstil rodeadas por brotes y renuevos, figuras que siempre recuerdan un poco a Lohengrin y Elsa, ahora los numerosos cisnes sobre aguas mansas deslizándose sobre inquietantes profundidades más bien eran considerados como solemnes mensajeros de la muerte.
En 1976, o sea 75 años después, se reunió en una exposición todo lo que se pudo. Más de medio millón de personas de Alemania y del extranjero visitaron esta exposición, demostrando así que la fuerza fascinadora de esta bella utopía es capaz de encantar de nuevo a la juventud de nuestros días.

En Darmstadt viven las artes

«En Darmstadt viven las Artes» se lee en muchos impresos de la ciudad e incluso en el matasellos del correo. No ha de extrañar que muchos artistas se encuentren en esta ciudad más a gusto que en cualquier otra parte. Cómo no va a ser esto posible en una ciudad cuyo Alcalde Presidente fue durante muchos años un poeta lírico y tratadista de máximo rango, un hombre que renunciando a completar su obra literaria dedicó todas sus fuerzas y todo su empeño a crear en Darmstadt la atmósfera propicia para que otros pudieran crear. Se trata de Heinz Winfried Sabais. Oriundo de Silesia, se convirtió en ciudadano de Darmstadt. Después de la devastación por la segunda guerra mundial, Sabais organizó los «Coloquios de Darmstadt» con el fin de despejar de ruinas de la guerra la cabeza de sus ciudadanos una vez que las calles de su ciudad habían sido limpiadas de escombros. Así continuó a su modo, lo que después de la primera guerra mundial había intentado Ernst Ludwig junto con Hermann Keyserling al crear la «escuela de la sabiduría»: Vida nueva a partir de un espíritu nuevo.
En el pasado fueron desgraciadamente siempre guerras, guerras perdidas, las que condujeron a este tipo de reflexión y a las que la vida cultural, y especialmente el teatro, deben un inesperado auge.
Todo lo «nuevo» era poco y así en 1946 se organizaron por primera vez «cursos internacionales de vacaciones para la nueva música», en el transcurso de los cuales jóvenes músicos y compositores de todos los continentes han podido experimentar libremente con tonos y ritmos, consiguiendo que no fueran solamente los expertos los que les prestaran atención.
Es natural que en tiempos tan difíciles los poetas no quisieran permanecer inactivos. Así llegó a fundarse la Academia de la Lengua y la Poesía, que desde el año 1951 tiene su sede en Darmstadt. En palabras de su presidente Peter de Mendelssohn «la Academia quiere apartar lo caduco y lo corrupto, continuar dando vida a nuestro acreditado patrimonio, distinguir lo nuevo y lo prometedor». En la Academia se unen poetas líricos, narradores, autores dramáticos, tratadistas, publicistas, historiadores, investigadores de la lengua y la literatura, los cuales en cada primavera se dan cita lejos de Darmstadt, para así documentar que la Academia es una institución alemana y no sólo de Darmstadt. Con envidia unos la titulan «Club literario de Caballeros», otros irrespetuosamente le dan el nombre de «Gremio de poetas». Pero sus anuales asambleas en el Otoño en Darmstadt siempre se celebran ante numerosísimo público y en ellas se otorgan el Premio Georg Büchner, el Premio Sigmund Freud para prosa científica y el Premio Johann Heinrich Merck para crítica literaria. Aquí en esta ciudad siempre se vive en los límites en los que confluye lo que ocurrió ayer con aquello que debería suceder mañana. «El ayer es solamente una sombra a la luz del hoy que sueña del mañana» (Ernst Ludwig). Aquí no se retrocede ante ninguna medida para abrir las puertas de las exposiciones a lo nuevo, aunque de momento resulte extraño e incluso amenazador. En la escalinata de la gran sala de exposiciones de Mathildenhöhe se encuentra grabada la siguiente leyenda, que bien puede ser considerada como imperativo político-cultural de la ciudad: «Ten respeto de lo viejo y ánimo para atreverte a lo nuevo; sé fiel a la propia naturaleza y al hombre, a los que amas.»

También la historia de la música de Darmstadt nos presenta grandes y sonoros nombres. Es toda una serie de grandes músicos, que alcanza desde Beethoven, pasando por Paganini, Carl Maria von Weber, Henriette Sontag, Friedrich Flotow, Jenny Lind, Franz Liszt hasta llegar a Carl Böhm y Benjamin Britten. Los pintores de Darmstadt no fueron todos tan talentosos como Karl Philipp Fohr, que en 1818 a los veintitrés años de edad murió ahogado en el Tíber en Roma, o como después Eugen Bracht, el cual pudo ser tan sorprendentemente moderno.

También los escultores encontraron encargos dignos de mención: Así, Johann Baptist Scholl esculpió en estilo neogótico esculturas funerarias y la Darmstadtia, símbolo del municipio. Este arte floreció después en la época del Arte Nuevo (Jugendstil) con Habich y Hoetger.

Darmstadt es muy rica en mujeres y hombres dedicados a la literatura. No ha de sorprender por ello, que voluntaria o involuntariamente algunos vivan lejos de aquí. Ya Lichtenberg, el cual no sólo quiso echar «nuevas miradas por viejos agujeros», se fue como profesor de Física a Gotinga. Quién puede imaginarse que también Henry Miller, elocuente individualista e ídolo de la generación del Pop y la Coca-Cola, tiene que dirigirse a Darmstadt cuando quiere saber algo acerca de sus antepasados, al igual que ocurre con Karl Valentin, humorista típico de Munich que ya sólo por su bizarra figura se da a conocer como hermano del «Spirwes» en el sainete «Der Datterich», en el que adquieren vida cada uno de los diferentes tipos de gentes de esta ciudad.

«Sólo en lo extraño, el extraño es extraño» dijo una vez en forma absurda y meditabunda, con lo que inconscientemente expresó quizás algo de la dulce nostalgia que tuvo Karl Wolfskehl durante su vida en el exilio en Nueva Zelanda y que describió diciendo: «Sobre el último arrecife insular del continente he llegado a comprender lo que nunca entendí. Veo y no veo el borrascoso mar de la vida».

La literatura también fue en Darmstadt objeto de dedicación de sus preclaros y cultivados ciudadanos. Pero cuando con Gundolf y Wolfskehl dejo de ser burguesa, se retiró a la «Dachstube», la clásica buhardilla del poeta representada por Spitzweg. Allí estuvo la escena del «Tribunal», y así fue hasta los tiempos del grupo que más tarde pasara a la literatura con el nombre de «Sociedad de la Buhardilla».

Mientras tanto no solamente los críticos literarios sino también los poetas han salido de sus buhardillas. Detrás del Löwentor, la Puerta de los Leones, que da entrada a la Colina de las Rosas (Rosenhöhe), diseñada por el Gran Duque Ernst Ludwig en forma de obra de arte de la jardinería muy progresiva por cierto para aquellos tiempos, una nueva colonia de artistas así como alguna casa de estilo modernista se han convertido en un refugio intelectual, en el que Karl Krolow fantasea, a veces deambulando, en versos triviales de algo tan corriente como la vida, y en el que Gabriele Wohmann en un bello parque, en el que al parecer ni al mismo ruiseñor se le ocurre algo nuevo, describe en forma de análisis minucioso una fiesta campera, un hombre irresistible o la victoria sobre el crepúsculo.

La capital en el bosque

«La capital en el bosque» fue el nombre que con orgullo llevó Darmstadt en los primeros decenios de este siglo. Mientras tanto se oye cada vez menos este sobrenombre y cuando se escucha es más bien como exhortación y exigencia y no tanto como señal de mejora de la calidad de vida. Pero a pesar de autopistas y grandes carreteras, establecimiento de nuevas industrias y edificación de nuevas urbanizaciones, todavía quedan muchos bosques alrededor de la ciudad. Incluso la tan conocida Bergstrasse, carretera de la montaña al Sur de la ciudad, no ha perdido apenas nada de su belleza paisajística.

Por supuesto que en vez de los romanos son avalanchas de automóviles las que por ellas circulan. El que al volante de su coche encuentra un instante para echar una mirada al castillo de Frankenstein en lo alto de la montaña, quizás no sepa que es más que pura casualidad que exista cierta relación entre el nombre de dicho castillo y el de aquella figura monstruosa de la pantalla. Pero así es. A finales del siglo XVII y principios del XVIII vivía aquí el hijo de un pastor protestante pobre, el cual llegó a ser un gran sabio y se dedicó a la alquimia. En sus últimos días concibió el temerario plan de hacer artificial-

mente un hombre, en cierto modo por métodos bioquímicos. Pero antes de iniciar sus trabajos, le sorprendió la muerte. Casi un siglo después, Mary Shelley, segunda esposa del poeta amigo de Lord Byron, conocedora quizás de aquellos planes, escribe una novela en la que un osado experimentador construye un monstruo artificial que al fin no le ocasiona más que disgustos; al buscar un título para el libro, le da el nombre de su personaje principal: Frankenstein. Desde entonces este nombre se ha convertido mundialmente en símbolo de miedo y terror.

En comparación con esto, los caballeros de Rodenstein, aquellos caballeros que en forma de espíritus del Odenwald cabalgan por las noches acompañados de sus cohortes salvajes, son casi inofensivos.

Y todavía otro capítulo más de la historia de la literatura, uno muy imponente por cierto, que se inicia en Worms y pasa por la Bergstrasse llega hasta el oscuro Odenwald. Se trata de la leyenda de Sigfrido, aquel héroe rubio que siempre ayudó a su cuñado Gunther, rey de Borgoña en Worms. No sólo le sirvió valientemente en el campo de batalla, sino que sin comunicárselo a su propia esposa Kriemhild, también le ayudó a poner orden en sus aposentos, restableciendo la autoridad sin la cual, según la opinión germana antigua, no era posible gobernar un pueblo y ni tampoco una familia.

Por un descuido imperdonable, Kriemhild se entera de la misión nocturna de su esposo. Pero en vez de solidarizarse emancipatoriamente con Brunhilde, que había sido brutalmente vencida por un pérfido engaño, ambas mujeres disputan públicamente sobre su posición social. En el transcurso de la tragedia, Brunhilde, que se considera profundamente herida en su honor de esposa, encuentra en el siniestro Hagen el instrumento con el que traidoramente mata a Sigfrido por venganza junto a un manantial del Odenwald. Desesperada de dolor y empujada por su ciega ira, Kriemhild, ya viuda, contrae matrimonio de conveniencia con el ya no tan joven soberano de los húngaros, el cual aparentemente se muestra muy orgulloso de poder presumir ante sus súbditos con tan estupenda mujer rubia de las orillas del Rin. Pero Kriemhild, físicamente de muy buena apariencia todavía, está interiormente carcomida por el odio y sólo piensa en la forma de aniquilar a los borgoñones; así invita a su hermano Gunther a venir con Hagen (y con todo el que quisiera venir) a visitarla en Hungría y manda matarlos a todos. Poco le importa que el Palacio de Etzel fuera devorado por las llamas. A esta fatal incursión de los borgoñones por el Odenwald recuerda todavía hoy la así llamada ruta de los nibelungos.

Por fortuna, conflictos familiares de esta índole no suelen existir en la actualidad. Las gentes de nuestros días salen a la calle atraídas más bien por acontecimientos deportivos, como por ejemplo por el gran partido de fútbol de Primera División o Bundesliga entre los equipos del SV Darmstadt 98 y del campeón alemán Bayern München en el estadio Böllenfalltor de Darmstadt, al que acuden 30.000 aficionados al balompié.

Los grandes nadadores de Darmstadt, con su tradicional razón social junto al lago Woog, a las órdenes de su entrenador Janos Satori lograron medallas de plata y bronce en los juegos Olímpicos de Tokio en 1974; partiendo como partieron desde una base muy modesta, fue éste un rotundo éxito que al regreso de los deportistas fue celebrado por un gentío tan grande como el que solamente atraen las fiestas anuales de la ciudad (Heinerfest).

Traducida literalmente, la palabra «Heinerfest» significaría «Fiesta de los Enriques», y cabría la pregunta ¿de dónde le viene a los habitantes de Darmstadt el nombre colectivo de Heiner (forma familiar de Heinrich o Enrique)? Minuciosos estudios han querido llegar a demostrar que etimológicamente la palabra Heiner procede más bien de «Hain» (bosque) que de Heinrich, una explicación que no ha llegado a convencer. En efecto. si se tiene en cuenta el sentido urbano de la vida de los oriundos de Darmstadt, se comprende fácilmente que estas gentes no pueden haber salido de los bosques; son hombres de ciudad por naturaleza. De carácter urbano son por ello las relaciones entre los habitantes de esta ciudad y la naturaleza que los rodea. De no llegar a saber a ciencia cierta que la canción «Das Wandern ist des Müllers Lust», oda al placer de pasear por el campo, al contrario de la canción de Goethe «Wanderers Sturmlied» no fue compuesta en Darmstadt, bien pudiera ser atribuida a un poeta oriundo de Darmstadt. Mejor que con la canción «Das Wandern ist des Müllers Lust» no se puede caracterizar la actitud de muchos de sus ciudadanos frente a los placeres del caminar paseando por los bosques y campos. El salir de la ciudad a pasear por la maravillosa naturaleza se hace tan sólo con el fin de gozar aún más del hogar al regresar cansado a la ciudad.

Europa – todavía por encontrar

«Europa todavía por encontrar», así o de forma parecida podrían haber sido los encabezamientos de los periódicos vespertinos de un pequeño reino fenicio, ya que Europa, la hermosa hija del rey, había sido raptada. El mismo Zeus, su abuelo, había quedado prendado de tal forma de su belleza, que convirtiéndose en toro se llevó a la inocente muchacha sobre sus anchas espaldas, se la llevó muy lejos. Cuando el toro dejo que la princesa tan cansada pusiera sus pies sobre la tierra, se apareció Afrodita, la diosa del amor, y le dijo a la desesperada muchacha que la tierra sobre la que acababa de posarse recibiría su nombre, es decir Europa. Una vez pasado el primer susto, Europa se sintió muy honrada de que el propio dios Zeus se hubiera tomado tantas molestias por ella, pero el desgarramiento interior que desde entonces sufría no llegó a vencerlo nunca del todo. Después de que esta discordia se hubiera recrudecido con mayor intensidad que nunca, incitada quizás por fuerzas demónicas, la Unión Internacional de Alcaldes y las ciudades y municipios a ella asociados decidieron terminar a su modo con esta situación, y lo hicieron hermanando y apadrinando unas ciudades con otras.

Una ciudad tan abierta como Darmstadt no podía permanecer inactiva frente a tales llamadas; el ex alcalde presidente Dr. Ludwig Engel, además de a sus numerosas funciones, dedicó su tiempo y trabajo a establecer los lazos de unión entre Darmstadt y las ciudades de Troyes, Alkmaar, Chesterfield, Trondheim, Graz y Bursa.

Y así todo siguió su libre curso, siendo sorprendente que el grado de coincidencia interior entre las diversas ciudades fuera mucho mayor de lo que al principio se esperaba. El mejor ejemplo lo constituye quizás la ciudad de Trondheim en Noruega. El noruego y el oriundo de Darmstadt tienen por cierto un concepto muy diferenciado del trabajo. En todas las partes existen gentes para las cuales el trabajo es trabajo, lo que llena sus vidas. Pero en Trondheim y en Darmstadt se piensa de forma completamente distinta. Es cierto que también aquí la vida de la mayor parte de las personas consta de trabajo, pero hay diferencias: el trabajo realizado por un conductor de tranvía, mecánico de automóviles, maestro o posadero se diferencia fundamentalmente del trabajo de alguien que arregla su anzuelo y su barco en Trondheim o cuida su pequeño jardín, colecciona tapas de cerveza o libros o escribe versos en Darmstadt. Esta diferente concepción del trabajo que tienen los noruegos ha conducido a la actitud diferente de Noruega frente a la Comunidad Europea; el noruego teme con razón que formando parte de la Comunidad Europea tendrá menos tiempo para sí mismo y que tendrá que trabajar más para los demás.

Así llegamos a la importantísima cuestión de cómo y para qué queremos vivir en nuestra Europa futura. Naturalmente que en «paz y libertad» como siempre se nos ha venido diciendo. Sobre esto parece que existen muy diversas opiniones.

El progreso técnico e industrial avanza a pasos agigantados y cada vez se van encontrando más hombres que consideran que lo viejo no es tan malo, ni lo nuevo tan bueno como a priori se pensaba. Bueno ¿qué es lo que queremos hacer con tanto nuevo? ¿No son muchas las personas que se consideran pequeñas ruedecitas de una complicadísima maquinaria? ¿Mantendrá el hombre en funcionamiento esta máquina, aunque va en constante aumento el número de los que creen que es absurda? ¿Vivimos todos verdaderamente sólo según el lema: producir cada vez más para más personas, para que todas tengan su puesto de trabajo y para que nadie se dedique a hacer tonterías? ¿Somos realmente ya tantos, que una vuelta atrás sea ya imposible? ¿Es que el único sentido de todos nuestros actos va a ser irremediablemente la absurdidad? Como poeta Heinz Winfried Sabais nos dijo hace años:

«. . . Welt, dein König heißt
Augias, und Herkules war
ein unwiederholbares Gerücht. Hier
sind andere Freiwillige nötig:
Holt Sisyphos her!»

«. . . Mundo, tu rey se llama
Augías, y Hércules fue
un rumor irrecuperable. Aquí
hacen falta otros voluntarios.
Traeros a Sísifo.»

Sí, Sísifo parece ser el único héroe de nuestro tiempo. Se le había achacado imprudencia en el trato con los dioses, ya que había encadenado al dios de la muerte. Su consecuencia había sido un despoblamiento tan considerable del averno, que Ares, dios de la guerra, fue encargado de liberar al dios de la muerte. Así sucedió, y una vez liberado se llevó a Sísifo inmediatamente a su reino. Allí se le impuso el castigo de subir una piedra enorme a lo alto de un monte escarpado; en cuanto llega con la piedra a la cúspide, la piedra rueda hasta abajo y tiene que comenzar de nuevo con el mismo trabajo.

¿Que es lo que piensa Sísifo al caminar hacia su piedra? ¿Piensa en lo trágico de su situación o goza, por el contrario, de los breves instantes de felicidad antes de reiniciar su trabajo?

Después de la segunda guerra mundial, los pueblos de Europa retornaron con valentía a su piedra. La piedra ha vuelto a rodar. Pero cada uno se dedica a su propia piedra y la situación sigue siendo tal como la definía el ex embajador alemán Blankenhorn: «Mucho se ha hecho ya, pero mucho se habrá de hacer todavía, para completar la obra y cimentar el edificio de nuestra patria europea».